Les Origines et

Lamartine

Pierre de Lacretelle

Alpha Editions

This edition published in 2023

ISBN : 9789357959735

Design and Setting By
Alpha Editions
www.alphaedis.com
Email - info@alphaedis.com

As per information held with us this book is in Public Domain.
This book is a reproduction of an important historical work. Alpha Editions uses the best technology to reproduce historical work in the same manner it was first published to preserve its original nature. Any marks or number seen are left intentionally to preserve its true form.

Contents

PRÉFACE

Sainte-Beuve a écrit:

«Lamartine est de tous les poètes célèbres celui qui se prête le moins à une biographie exacte, à une chronologie minutieuse, aux petits faits et aux anecdotes choisies. Son existence, large, simple, négligemment tracée, s'idéalise à distance et se compose en massifs lointains à la façon des vastes paysages qu'il nous a prodigués... Il est permis, en parlant d'un tel homme, de s'attacher à l'esprit du temps plutôt qu'aux détails vulgaires qui chez d'autres pourraient être caractéristiques... Qu'importent donc quelques détails de sa vie[1]?»

Il paraît difficile d'admettre aujourd'hui sans discussion qu'un critique aussi pénétrant ait commis une telle erreur; sans doute avait-il ses raisons de parler ainsi, et peut-être ne faut-il voir dans cette opinion exagérée que l'excuse honorable pour les romantiques d'un éloignement dont ils furent tous secrètement blessés; écartés de l'existence du poète, ils déclaraient que le détail en était sans importance, et n'ajoutait rien à la compréhension de son œuvre.

Malheureusement, il semble que les biographes de Lamartine aient pris jusqu'ici le jugement de Sainte-Beuve pour base de leurs travaux, dont la plupart ne sont que des fragments plus ou moins commentés de ses innombrables souvenirs de jeunesse, source dangereuse et dont il importe de se méfier, surtout pour la période antérieure à 1820. Écrits à une époque où pour oublier le présent il se retrempa dans son passé, ils composent plus exactement l'image de celui qu'il se crut ou aurait voulu être plutôt que celui qu'il fut réellement. Aussi, doivent-ils être utilisés avec une extrême précaution.

Depuis quelques années déjà, la méthode historique a été introduite dans le domaine littéraire et, si elle a ses inconvénients, elle a surtout d'excellents côtés. Les études lamartiniennes en ont profité; divers travaux ont été publiés qui soumettent les récits du poète à un contrôle sévère en même temps qu'ils mettent en lumière des faits nouveaux. La légende de Lamartine adolescent tend à disparaître pour faire place à une réalité autrement vivante et l'on commence à comprendre que son œuvre nécessite une biographie minutieuse et presque quotidienne.

Mais s'il importe de rechercher les causes des états d'âme multiples et contradictoires que reflète sa poésie, les *Méditations*, surtout, écrites sans souci de la postérité et de la gloire à une époque indécise et tourmentée de sa vie, réclament un commentaire infiniment plus précis que celui qu'il nous a laissé; replacées dans leur véritable cadre, éclairées par les circonstances qui déterminèrent, retardèrent ou hâtèrent leur éclosion, elles deviennent plus humaines encore, parce que plus sincères, et singulièrement émouvantes: en elles, aucun artifice littéraire, nul désir d'introduire un mode nouveau de pensée: ce livre qui devait révéler la jeunesse romantique à elle-même et marquer le début d'un mouvement unique dans l'histoire des lettres françaises, fut écrit sans ambition et presque négligemment. À comparer le manuscrit de *Saül*, médiocre tragédie en cinq actes, amoureusement calligraphié sur beau vélin, et les ébauches crayonnées hâtivement qui sont le premier jet des *Méditations*, on se rend compte que Lamartine ne les considérait que comme des notations intimes de ses états d'âme et sans intérêt pour le public. Ce sont là des conditions de sincérité qui font d'elles un précieux document psychologique pour l'étude de la jeune génération romantique, et c'est ce que nous avons tenté d'établir ici.

Ce volume n'a d'autres prétentions que d'être la mise au point et l'utilisation de récentes publications dont on trouvera le détail au cours des chapitres qui suivent; nous y avons pourtant ajouté bon nombre de sources jusqu'ici demeurées inédites et sur lesquelles nous devons ajouter quelques mots. De l'œuvre publiée de Lamartine nous n'avons conservé que la *Correspondance*, dont il nous faut ici déplorer les lacunes et le classement souvent défectueux; volontairement, nous avons écarté tous les souvenirs rédigés sur ou par Lamartine postérieurement à 1820, sauf lorsqu'il nous a été possible de les vérifier, pour ne retenir que les lettres et témoignages contemporains de la période qui nous occupait; écrits à une époque où son avenir était impossible à prévoir, ils le montrent sans aucun ménagement sous son jour véritable et tel qu'il apparaissait alors aux yeux de sa famille et de ses relations.

En premier lieu, nous avons eu à notre disposition un important manuscrit, le *Journal intime* de sa mère; on sait que quelques fragments très écourtés et très remaniés en ont été publiés par le poète sous le titre, *le Manuscrit de ma mère*[2], ouvrage dont la valeur documentaire est tout à fait négligeable tant les suppressions et les additions qu'il y fit sont considérables; elles s'expliquent, il est vrai, aisément, soit qu'il ait souvent hésité à apporter des démentis trop nombreux à ses *Confidences*, soit qu'il ait jugé délicat d'en reproduire le texte intégral. C'est grâce au *Journal intime*, toujours soigneusement daté, qu'il nous a été possible d'entreprendre cet ouvrage, car il nous a permis de mettre en lumière certains faits demeurés encore obscurs ou ignorés, en même temps qu'il nous fournissait un tableau chronologique minutieusement détaillé des quarante premières années du poète. Ces pages écrites au courant de la plume, sans aucune préoccupation de composition ni de publicité, présentent naturellement des négligences et des répétitions, mais les pensées et les sentiments n'y ont d'autre souci que la sincérité[3].

De plus, grâce à l'obligeance de M. Charles de Montherot, petit-neveu de Lamartine, nous avons pu prendre connaissance des riches archives de Saint-

Point, et le baron Carra de Vaux a bien voulu mettre à notre disposition les papiers et titres de la famille maternelle du poète, qu'il représente actuellement. Nous devons également nos remerciements à plusieurs familles de Mâcon qui nous ont aimablement ouvert leurs archives domestiques; à M. A. Duréault, secrétaire perpétuel de l'Académie de Mâcon, qui nous a fait à mainte reprise profiter de son érudition et de ses recherches personnelles; à M. Lex, archiviste de Saône-et-Loire, dont les travaux nous ont été d'un grand secours. Enfin, nous tenons à exprimer notre reconnaissance à M. Gustave Lanson qui, préparant lui-même une étude sur les *Méditations*, nous a permis de prendre connaissance de plusieurs documents inédits qu'il avait réunis.

C'est grâce à tant d'obligeances que ce volume a pu voir le jour. Nous avons essayé d'en faire une biographie exacte et critique; exacte, car nous n'avons voulu laisser dans l'ombre le moindre fait capable d'apporter un éclaircissement nouveau à la genèse des *Méditations*; critique, puisque les documents utilisés n'ont été acceptés qu'après un contrôle aussi sévère qu'il est possible en pareille matière.

PIERRE DE LACRETELLE.

PREMIÈRE PARTIE

LES ORIGINES

CHAPITRE I

LES LAMARTINE[4]

Les origines des grands hommes—et davantage, peut-être, celles des poètes—ne sont jamais à négliger. Sans doute, il importe peu pour l'histoire littéraire que Vigny descende d'un trésorier du XVe siècle, que Hugo soit apparenté à un évêque lorrain, que Lamartine soit petit-fils d'un intendant des finances du duc d'Orléans. Ce n'est là, dans leur biographie, qu'un élément de curiosité.

Mais si, et avec raison, l'on accorde à l'éducation et au milieu une influence prépondérante sur le développement d'un génie, il faut également faire une part aux influences ancestrales, à la vie antérieure qui, elles aussi, laissent des traces plus profondes qu'on ne l'imagine ordinairement, et l'héritage moral d'un poète est précieux à connaître pour tout ce qu'il lui a transmis d'instincts ataviques. Une telle étude est souvent délicate et vaine devant le petit nombre de documents que l'on parvient à recueillir. Une filiation exacte pendant trois siècles—le plus haut qu'on puisse habituellement remonter—est curieuse, mais de simples dates ne suffisent pas; il faudrait connaître la vie des ancêtres, savoir où et comment ils vécurent, quelles passions les dominèrent, dans quelle province ils fixèrent leur foyer, en un mot posséder ce qu'on appelait jadis le *Livre de raison*, registre où les chefs de famille inscrivaient à tour de rôle grands et petits événements d'une existence souvent trop obscure pour qu'on puisse en retrouver trace dans les archives des villes où ils vécurent.

Pour Lamartine, nous avons la bonne fortune d'être à peu près fixés sur son hérédité, grâce à une abondance rare de documents qui nous permettent de remonter jusqu'au début du XVIe siècle, avec des détails précis et nombreux sur les deux familles dont il descend.

Tout d'abord, il est curieux de constater que dès l'origine l'une et l'autre semblent être établies de longue date dans les régions mêmes où elles demeurèrent ensuite jusqu'à la fin du XVIIIe siècle; et cet intense et pénétrant sentiment de la terre natale qui sera chez Lamartine une des notes dominantes de sa poésie, se retrouve déjà chez ses pères qui lui transmirent un peu de leur amour du sol lentement acquis au cours des siècles. Mais aucun ancêtre, pas plus chez les Lamartine que chez les Des Roys, n'a laissé grande trace dans l'histoire de son temps: enracinés dans le même coin de Bourgogne ou d'Auvergne depuis douze générations, habitués de père en fils à faire tout naturellement le sacrifice d'intérêts immédiats ou propres à ceux lointains et souvent invisibles de la race et de la famille, tous, bourgeois, magistrats et capitaines, vécurent la même vie paisible et sédentaire, soucieux avant tout d'augmenter leur bien par de solides alliances, tandis que les cadets s'en allaient mourir obscurément à quelque siège lointain, et que les filles, peu ou point dotées, traînaient leur mélancolique existence sous les arceaux du cloître le plus proche.

C'est à Mâcon, paisible et dormante petite cité, qu'il faut chercher les origines paternelles de Lamartine, dont les ancêtres, dès la fin du XVIe siècle, habitaient la maison même où il naquit. La forme primitive du nom est *Alamartine*—et non *Allamartine*, comme il l'a écrit,—qui subsiste encore actuellement en Bourgogne et dans la Haute-Loire. La famille est originaire du Charollais, où l'on rencontre à la fin du XVe siècle des Alaberthe, Alabernarde, Alablanche, devenus plus tard, à la suite d'une transformation identique, des de la Berthe, de Labernarde et de Lablanche. Quant aux origines sarrasines dont le poète se targuait volontiers, elles étaient peut-être une charmante excuse à sa hautaine nonchalance, à son amour des animaux et à l'invincible attrait que l'Orient exerça toujours sur lui, mais elles demeurent, bien entendu, plus que problématiques. La forme *Alamartine* se trouve dans la famille du poète jusqu'à la fin du XVIIe siècle, en la personne de Jean-Baptiste Alamartine, son trisaïeul, qui, bien que né noble, signa jusqu'en 1680 Alamartine.

Au XVIIIe siècle, toute trace de roture a définitivement disparu du nom, qui s'écrit Delamartine ou de la Martine, mais rarement de Lamartine; ce n'est qu'avec la Révolution qu'on voit apparaître cette dernière forme, sans la particule. Notons enfin que, jusqu'en 1825, le poète signa indifféremment Delamartine, de la Martine, ou de Lamartine. Mais la transformation légitime d'*Alamartine* ou *de la Martine* date du milieu du XVIIe siècle, époque où la famille fut anoblie.

Il y avait en 1789 peu d'ancienne noblesse dans la région du Mâconnais. Elle n'était guère représentée que par quelques vieilles familles désœuvrées et hautaines, à qui la modicité de leurs revenus interdisait Versailles où elles n'auraient pu tenir leur rang; et à part ce comte de la Baume-Montrevel qui n'avait jamais mis les pieds à la cour et trouvait moyen de manger royalement à Mâcon ses six cent mille livres de revenu avec ses équipages, ses violons et ses chasses, le reste n'était guère que bourgeois enrichis, vivant de la terre, et indifférents à la politique.

La famille de Lamartine en est d'ailleurs le meilleur exemple: à la fin du XVIIIe siècle, ses membres établis dans la région depuis plus de trois cents ans s'étaient lentement élevés des plus infimes fonctions aux plus hautes charges, et les transformations subies par le nom patronymique sont le meilleur témoignage de cette évolution commune à la majorité des familles de la région.

C'est ainsi qu'au milieu du XVIe siècle le chef de la famille était humble tanneur à Cluny; son fils, plus tard, fut un bourgeois influent de la ville et, à ce titre, chargé de présenter aux États du Mâconnais les revendications du tiers; et tous signaient Alamartine. Au début du XVIIe siècle, son petit-fils remplissait les importantes fonctions de juge-mage et capitaine de l'abbaye de Cluny; quelques années après, il acquit la noblesse—noblesse de robe—par l'achat d'une charge de secrétaire du roi puis, par une ascension toute naturelle, ses fils acquirent des *terres nobles*, prirent l'épée, et virent alors s'ouvrir devant eux les chambres de la noblesse aux États de Bourgogne; le nom devint de la Martine.

Le poète, pourtant, se montra toujours fort peu soucieux de ses origines; ses armes, même enregistrées avec tant de soin par son bisaïeul à l'Armorial général, étaient timbrées par lui d'une façon fantaisiste; alors qu'à la fin du XVIIe siècle les Lamartine portaient: «de gueule à deux fasces d'or chargé d'un trèfle de même», il substitua, on ne sait pourquoi, des bandes aux fasces[5]; question purement esthétique, sans doute, mais qui prouve à quel point la science héraldique le préoccupait peu; de même, à ceux qui l'interrogeaient, il répondait invariablement qu'il descendait «d'une famille noble et catholique du Mâconnais».

Mais si tous ces petits détails le laissaient indifférent, il n'en allait pas de même de son grand-père, Louis-François de la Martine qui, fort entiché de noblesse, fit admettre dans des actes officiels du milieu du XVIIIe siècle plusieurs généalogies assez inexactes de sa famille[6]. Mais il avait l'excuse de vivre à une époque où les titres décidaient plus que les mérites. Pour faire admettre ses filles dans des chapitres nobles et ses fils dans des régiments d'élite, il fut donc contraint de fournir les titres requis par les statuts. Sa noblesse était incontestable, mais trop récente; c'est alors que, pour satisfaire aux règlements, il se créa des ancêtres plus ou moins authentiques. Très inhabilement, d'ailleurs, il fit subir aux registres paroissiaux des grattages et des lavages chimiques, rendus parfaitement visibles par le contraste des encres et des écritures, et il faut croire que les deux gentilshommes chargés de la vérification des pièces furent tolérants. Partout où cela fut possible, les «chevalier», «messire», «noble seigneur» remplacèrent les «maistre»; l'A de Alamartine se transforma en «de» au moyen de quelques grattages et l'on profita même de ce qu'un ancêtre avait été marié deux fois pour donner un quartier de plus à la noblesse familiale.

Néanmoins, malgré ces falsifications plus courantes à l'époque qu'on ne le croit ordinairement, il est possible de reconstituer la généalogie exacte de la famille de Lamartine, à l'aide d'autres documents tels que les registres du bailliage, ceux-là authentiques, et d'une autorité incontestable.

Au début du XVIe siècle, les Alamartine vinrent s'établir à Cluny, sur les dépendances de la célèbre abbaye qui faisait vivre toute une population, et où le premier d'entre eux dont on trouve mention vivait en 1550, exerçant la modeste profession de tanneur cordonnier. Avec son prénom—Benoît—

c'est là tout ce qu'on sait de lui, mais ses enfants nous sont un peu mieux connus[7].

Il eut une fille, Françoise, mariée le 4 janvier 1587 à Claude Tuppinier[8], et trois fils. L'aîné, Gabriel, fut notaire au bailliage de Mâcon, par provisions du 15 septembre 1573, et épousa une demoiselle Claude Morestel dont il eut une fille, Philiberte, mariée en 1594 à Jean Durantel, notaire et procureur à Cluny. Le cadet, Benoît, avocat à Mâcon, prit pour femme le 29 octobre 1595 Jeanne Fournier, fille de Guyot Fournier et de Jacqueline Descrivieux, dont il eut neuf enfants[9]. Quant au plus jeune, Pierre, ancêtre direct du poète, on sait de lui peu de chose. Quelques actes de baptême où sa femme et lui signèrent comme marraine et parrain, nous apprennent qu'il épousa Jehanne de la Roüe, d'une famille bourgeoise du Mâconnais, sans que l'on puisse connaître ni sa profession ni quelque autre date précise de son existence, si ce n'est qu'en 1604 il fut chargé de présenter aux États du Mâconnais les revendications du Tiers.

Vers 1575 quelques membres au moins de la famille Alamartine appartenaient à la religion réformée. Un pamphlet du temps, la *Légende de dom Claude de Guise*[10], œuvre de Gilbert Regnault notable huguenot de Cluny, nous apprend en effet qu'ils eurent à subir des persécutions pour leur foi:

Quy voudrait, dit Regnault, spécifier les persécutions, les voleries, les larcins et brigandages que saint Nicaise et saint Barthélémy[11] ont exercées à l'encontre des pauvres fidelles de la Religion en la ville de Cluny, faudrait les prendre un par un, puis déchiffrer les tours, les menées, les piperies, cruautés et barbaries pour tirer les rançons de ces pauvres, ainsy que descrire les sommes de deniers qu'il a tirées des seigneurs Philibert Magnyn, Marin Arcelin, capitaine Rousset, Bolat, Division, Tuppinier, Holande, Alamartine, Corneloup, Fornier, et plusieurs autres signalés de la ville de Cluny; et nous n'aurions jamais fait, non seulement spécifier les deniers qu'il a estorqués de ces personnages, mais aussi les moyens qu'il a tenus pour leur faire renoncer Dieu, c'est-à-dire révolter la religion réformée.

Il ne faut pas s'exagérer la valeur de cette conversion des Lamartine aux idées nouvelles qui dut être extrêmement passagère. Le mouvement réformiste en Bourgogne eut des causes très diverses, suivant les endroits où il éclata: à Mâcon et à Cluny, les émeutes et les conversions en masse de 1562 et 1567 eurent en grande partie pour cause les exactions de Claude de Guise, abbé de Cluny, qui faisait lourdement peser son autorité despotique sur les habitants.—Ceux-ci, plus par exaspération que par foi sincère, s'allièrent aux huguenots et de ce nombre furent les Lamartine. L'abbé de Cluny obtint d'ailleurs finalement gain de cause, puisqu'au début du XVIIe siècle on trouve un fils de Pierre pourvu d'une charge à l'abbaye même, ce qui suppose, bien entendu, un retour à la religion de ses pères.

Estienne Alamartine, en effet, bourgeois de Cluny, est qualifié dans les actes le concernant de juge-mage et capitaine de l'abbaye de Cluny; fonctions importantes qui lui conféraient des pouvoirs administratifs fort étendus, puisqu'il était chargé de rendre la justice pour le compte du roi sur les terres ecclésiastiques. Peu à peu, il augmenta sa situation[12]; le 25 octobre 1604, il fut nommé avocat; en 1609 le roi ayant créé trois offices de conseiller au bailliage de Mâcon, il acquit une de ces charges et enfin, en 1651, celle de secrétaire du roi fort recherchée alors puisqu'elle conférait la noblesse à son titulaire pourvu qu'il l'eût exercée vingt ans ou qu'il fût mort en étant revêtu.—Estienne Alamartine ayant été reçu en Parlement de Paris le 3 juillet 1651 et étant mort en fonction l'an 1656, la noblesse fut donc acquise à ses descendants.

Estienne fut marié deux fois: en premières noces il épousa, le 12 octobre 1605 à Mâcon, Aymée de Pise, fille de noble Antoine de Pisz, président en l'élection du Mâconnais, et de dame Antoinette de Rymon[13], dont il n'eut pas d'enfants; et, en deuxièmes noces, le 18 novembre 1619, à Chalon, Anne Galloche, fille de Guillaume Galloche, procureur du roi en la châtellenie de Sairt-Laurent-lez-Chalon, et de Nicole Gon.

C'est à propos de ces deux mariages que commencèrent les falsifications de Louis-François dont nous avons parlé plus haut. En effet, dans toutes les généalogies qu'il fit établir à l'époque, il eut soin, afin de donner un quartier de plus à sa noblesse, de profiter de ces deux mariages pour faire du seul Estienne deux personnages distincts: le premier fut marié avec Aymée de Pise, et le second avec Anne Galloche.

Mais, devant l'invraisemblance des dates—le premier mariage étant de 1605 et le second de 1619, le fils présumé d'Estienne aurait donc eu treize ans à l'époque de son mariage!—il fallut d'abord reculer la date de 1605 à 1601, et avancer celle de 1619 à 1629, ce qui fut fait à l'aide de quelques grattages, et donnait alors environ vingt-sept ans au faux Estienne le jour de son mariage.

Bien plus, comme il n'y avait de lui—et pour cause—aucun acte, aucune pièce authentique, il fallut au moins fournir une preuve soi-disant irréfutable de sa naissance: c'est alors qu'on créa, de toutes pièces, cette fois, un faux acte de baptême au nom de cet imaginaire personnage. À cet effet, à la date du 2 novembre et sur les registres paroissiaux de l'année 1602, on fit simplement disparaître, à l'aide d'un lavage chimique, l'acte de baptême d'un individu quelconque; puis, à cette place, on transcrivit le faux qui devait donner quelque vraisemblance à l'extraordinaire conception de Louis-François. Il est d'ailleurs heureux pour lui que les deux gentilshommes chargés de l'examen des titres et preuves de noblesse, messire Éléonor de Garnier, comte des Garets, gouverneur de la citadelle de Strasbourg, et le chevalier de Prisque de Besanceuil n'aient pas mené leur besogne jusqu'au bout, car la lecture des registres ou ces falsifications sont encore très apparentes aujourd'hui les eût pleinement édifiés. Sur les deux actes de mariage, les corrections grossièrement dissimulées sous de maladroites taches d'encre sont très visibles; sur le faux acte de baptême, le papier blanchi par l'acide et les mouillures, les signatures péniblement décalquées ou copiées, l'encre encore noire, l'écriture enfin, contrastent trop étrangement avec les actes qui précèdent ou suivent pour que le moins averti s'y soit trompé.

Louis-François avait compté sans les registres du bailliage qu'il ne pouvait aussi aisément falsifier; ils font foi qu'il n'y eut pas deux Estienne Alamartine, mais un seul, marié deux fois; de sa première union il n'eut pas d'enfants, mais de l'autre il en eut cinq, trois filles et deux garçons.

L'aînée des filles, Philiberte, épousa le 10 mars 1638 Antoine de la Blétonnière[14]; une autre, Anne, née en 1627, fut mariée à Simon Dumont, «élu en l'élection[15]», et mourut le 16 mars 1709. La dernière, Françoise-Marie, devint religieuse à la Visitation de Mâcon.

Quant aux deux fils, l'aîné, Philippe-Étienne, fut l'auteur de la branche aînée de Lamartine, dite d'Hurigny, éteinte dans les mâles à la fin du XVIIIe siècle, et le cadet, Jean-Baptiste, de la branche de Montceau dont descend le poète.

Lamartine d'Hurigny.

Hurigny est une ancienne châtellenie royale dépendant des domaines du roi, située dans le canton nord de Mâcon non loin de la ville. En 1510, la terre d'Hurigny avait été inféodée en faveur de Philippe Margot, conseiller maître des comptes à Dijon. Au milieu du XVIe siècle, la seigneurie passa aux mains de la famille Seyvert; en 1665, leur héritier, Jacques Lestouf de Pradines la vendit à Philippe-Étienne, qui, en 1672, exerça une reprise de fief.

Philippe-Étienne naquit vraisemblablement à la fin de 1622. Il succéda à son père en 1656 dans son office de conseiller et secrétaire du roi, mais résigna ses fonctions quelques années après, le 14 janvier 1663. Il avait épousé, le 14 juin 1657, Claudine de la Roüe, fille de feu noble Antoine de la Roüe, avocat à Mâcon, et de demoiselle Marie Galopin, sa veuve.

De cette union naquirent deux fils et quatre filles: Ursule (3 janvier 1677—7 mars 1746), mariée le 7 novembre 1696 à Antoine Desbois, grand bailli d'épée du Mâconnais et capitaine du château de Mâcon[16]; Marie, morte jeune (5—14 février 1602); Marie et Marie-Anne, l'une religieuse au couvent de la Bruyère (1605—?), l'autre ursuline à Mâcon. Quant aux fils, l'aîné, Philippe, né le 26 août 1658, fut marié le 7 juin 1704 à Anne Constant, fille d'Antoine Constant, échevin de Lyon en 1697-98, et de Anne Mollien[17]. Il n'en eut pas d'enfants, et mourut le 20 octobre 1747. Tous les biens paternels qui devaient lui revenir en sa qualité d'aîné, furent transmis à son cadet, Jean-Baptiste, né le 19 octobre 1663.

Ce fut Jean-Baptiste qui, le premier des Lamartine, rehaussa le nom du prestige, si grand à l'époque, de la noblesse d'épée, puisqu'après avoir servi quelque temps cornette dans Lande-dragons, il acheta le 25 octobre 1689 une compagnie dans le régiment de Gévaudan-dragons. Il quitta l'armée pour épouser le 26 février 1696 Éléonore Bernard, d'une très ancienne famille mâconnaise, fille de Philibert, seigneur de la Vernette, conseiller du roi au siège et présidial de Mâcon[18], et de Jeanne Bollioud, qui lui donna une fille, Françoise (1700—1720), et deux fils, dont l'aîné, Philibert, né le 15 juillet 1698, fut capitaine au régiment de Piémont, et mourut chevalier de Saint-Louis le 8 janvier 1789, sans avoir été marié.

Le cadet, Jean-Baptiste, dernier seigneur d'Hurigny, naquit en 1703. Il servit d'abord comme volontaire dans le régiment de Villeroy où il devint capitaine et chevalier de Saint-Louis. Il épousa, le 8 mars 1735, Anne de Lamartine de Montceau, sa cousine, et mourut le 10 avril 1757, n'ayant eu de son mariage qu'un fils, Louis François, né le 26 février 1748, mort jeune, et cinq filles.

L'aînée, Jeanne-Sibylle-Philippine, née le 7 février 1736, épousa le 16 février 1756 Pierre de Montherot de Montferrands[19]. La cadette, Marianne (31 oct. 1737—?) épousa, le 25 février 1759, Pierre Desvignes de Davayé; une autre, Ursule (6 déc. 1741—?), fut mariée le 2 septembre 1761 à Antoine Patissier de la Forestille, capitaine au régiment de Piémont. Quant aux deux autres, Marie-Philiberte (7 février 1739—?) et Françoise-Marie (15 nov. 1742—?), elles furent toutes deux religieuses à Mâcon.

À la mort de Philibert de Lamartine, survenue en 1789, la branche aînée se trouva donc éteinte dans les mâles; la seigneurie d'Hurigny, avec les domaines et château qui en dépendaient, avait été constituée en dot à Jeanne-Sibylle, lors de son mariage avec Pierre de Montherot.

Lamartine de Montceau.

La branche cadette de Montceau, dont est issu le poète, a pour auteur Jean-Baptiste, fils cadet d'Estienne Alamartine et d'Anne Galloche. Il naquit en 1640, fit ses études de droit à l'université d'Orléans[20], et à la mort de son père hérita de la charge de conseiller au bailliage de Mâcon. Il épousa le 17 avril 1662 Françoise Albert, fille d'Abel Albert, conseiller du roi, receveur des consignations, et de demoiselle Françoise Moisson. C'est par l'alliance avec les Albert que la terre de Montceau entra dans la famille; c'était un beau domaine d'environ 50 hectares, situé sur les communes actuelles de Prissé et de Saint-Sorlin, à une dizaine de kilomètres de Mâcon. Bien qu'on ne retrouve aucune reprise de fief pour Montceau, ses possesseurs s'en qualifiaient seigneurs, alors qu'en réalité, Montceau faisait partie de la terre et châtellenie de Prissé. On trouve en 1603 un dénombrement de Prissé par «honorable Guyot Fournier», dont une fille, on l'a vu plus haut, avait épousé un Benoît Alamartine; on y voit que «ladite châtellanie a de tout temps appartenu au roi et au seigneur révérend évêque de Mâcon, par indivis, et à chacun d'eux la moitié». Le 17 juillet 1675 on rencontre une reprise de fief et dénombrement par les héritiers de Pierre Fournier, au nombre desquels figure Abel Albert, beau-père de Jean-Baptiste de Lamartine. Non seulement dans cet acte Abel Albert se qualifie de seigneur de Montceau, mais il affirme encore que «si ladite châtellenie est au roi pour une moitié et à l'évêque pour l'autre moitié», les rentes, toutefois, appartiennent pour un tiers au roi, un autre à l'évêque et le dernier au seigneur. En 1679 Abel Albert augmenta sa part en rachetant celles des deux co-héritiers Fournier, et à partir de cette date on ne retrouve plus de reprise de fief pour Prissé. Au début du XVIIIe siècle, par suite de la mort du fils d'Abel Albert, sa sœur, Françoise, femme de Jean-Baptiste, hérita de Montceau. Ce n'est d'ailleurs pas Montceau qui permit aux Lamartine de la branche cadette d'entrer aux chambres de la noblesse du Mâconnais, puisque seule, on l'a vu, la châtellenie de Prissé qu'ils ne possédaient pas était terre noble, mais bien le fief de la Tour de Mailly acquis au milieu du XVIIIe siècle.

Le testament de Jean-Baptiste et de sa femme, rédigé le 1er mars 1707, nous montre que, dès cette époque, la situation des Lamartine était déjà solidement établie:

Nous léguons, y est-il dit en effet, aux pauvres de l'Hôtel-Dieu et de la Charité de cette ville, à chacun (*sic*), la somme de trois cents livres, les invitant à prier Dieu pour nous. À notre fils Nicolas de la Martine, nous donnons et léguons pour sa part et portion de nos biens et hoirie notre domaine situé à Milly et lieux circonvoisins, et celui des Fortins, paroisse de Bertzé-la-Ville consistant en maison garnie des meubles qui y sont présentement, caves, pressoirs, et généralement tout ce qui en dépend, prés, terre, vignes, bois, maisons des grangers et vignerons et leurs dépendances, avec les bestiaux qui servent à la culture. Plus, nous lui léguons notre maison sise en cette ville, près les religieuses Sainte-Ursule qui est habitée présentement par son frère aîné, suivant qu'elle se comporte chargée du passage qui y est présentement pour la desserte de la grande maison que nous habitons. Nous lui donnons et léguons de plus la charge de conseiller magistrat au bailliage et présidial de Mâcon, avec tous les droits en dépendant, la part que nous avons aux charges de receveur des épices, et en tout ce que dessus, instituons ledit Nicolas de la Martine notre héritier particulier, à la charge de payer par lui, annuellement et par avance, à sœur Françoise de la Martine, religieuse à la Visitation Sainte-Marie, et à sœur Anne de la Martine[21], religieuse Ursule, à chacune d'elles quinze livres de pension pendant leur vie.

Item, nous donnons à Marie et à Marie-Anne de la Martine, nos filles, à chacune la somme de dix-huit mille livres.

Item, nous léguons et donnons à François de la Martine, notre fils, chanoine en l'église de Mâcon, la somme de quinze mille livres et, outre ce, nous lui léguons la somme de mille livres que nous lui avons avancée pour fournir aux frais de son baccalauréat en Sorbonne. Au résidu de nos autres biens desquels nous n'avons pas disposé cy-devant, ni n'entendons disposer cy-après, nous nommons et instituons notre héritier universel, seul et pour le tout, Philippe-Étienne de la Martine, notre fils aîné.

Voulons de plus que si moi, ledit de la Martine, décède le premier, qu'au moment de mon décès, notre héritier entre en jouissance du domaine et vignoble de Pérone et des biens qui sont venus de monsieur Litaud depuis son mariage.

Ce testament est curieux, à plus d'un titre. On y voit figurer en effet la petite maison de Milly, la maison natale de Lamartine située rue des Ursulines, et l'hôtel Lamartine, élevé près des remparts de Mâcon et qui portait alors le numéro 87 de la rue de la Croix-Saint-Girard, devenue sous la Révolution rue Solon et au XIXe siècle rue Bauderon de Senécé.

La petite maison de Milly date de 1705, époque à laquelle elle fut solennellement bénite par le curé de la paroisse[22]. Quant à la maison de la rue des Ursulines, acquise sans doute au début du XVIIe siècle, elle dénote une construction du XVIe siècle. Les fenêtres ont été remaniées depuis et l'intérieur semble avoir subi de nombreuses transformations. Sa porte est surmontée d'un écu chargé d'une flamme en pointe et de deux étoiles à cinq rais en chef, qui se réfère à une famille actuellement inconnue dans le Mâconnais. Cette maison n'était pas, comme l'a dit Lamartine, une maison de retraite pour les vieux domestiques. Dans les testaments qui suivent celui de Jean-Baptiste on voit qu'elle était toujours léguée au fils cadet, mais que, du vivant du chef de famille, elle était habitée par l'aîné. La maison de la rue des Ursulines communiquait par une cour et des jardins avec l'hôtel Lamartine, belle construction à deux étages qui, d'après son architecture, dut être édifiée dans la deuxième moitié du XVIIe siècle. Vers 1760, elle subit d'importants remaniements intérieurs et l'on y voit encore une salle à manger décorée de jolis trumeaux en camaïeu dans le goût des bergeries de Watteau. Sa porte est surmontée d'une décoration en fer forgé où l'on remarque deux L entrelacés, manifestement inspirée du chiffre royal.

Quant à la propriété de Pérone, elle était située non loin de Mâcon (canton actuel de Lugny) et dépendait de la seigneurie d'Uchisy. Les Lamartine y possédaient une maison de campagne, qui date également de la fin du XVIIe siècle.

Ainsi, comme on peut s'en rendre compte, la plupart des biens—à part Saint-Point—qui composeront plus tard le patrimoine du poète, se trouvaient dès le début du XVIIIe siècle en possession de sa famille.

Jean-Baptiste de Lamartine mourut le 1er septembre 1707. De son mariage, très prolifique, il avait eu seize enfants dont peu lui survécurent[23]. Des trois fils qu'il nomme dans son testament, l'un, Nicolas, était né le 31 octobre 1668; il avait fait ses études de droit à l'université d'Orléans comme son père, de 1687 à 1690, époque à laquelle il fut reçu licencié[24]. Puis, il succéda à son père dans les fonctions de conseiller au bailliage, et mourut célibataire à Vichy le 19 mai 1714[25]. «Il devait aller de là aux eaux de Bourbon, dit Claude Bernard qui l'avait connu; mais la mort l'en empêcha; sa maladie était une phtisie pulmonaire, et on ne seconda pas assez l'effet des eaux par des purgatifs décidés».

L'autre, François, né le 20 mai 1677, fut chanoine de Saint-Pierre de Mâcon, et pourvu d'un archidiaconé en 1725: il fut élu doyen par le chapitre de cette église le 29 mai 1728, et mourut à une date inconnue.

Quant à l'aîné, Philippe-Étienne, né le 26 mai 1665, il servit de 1689 à 1702 comme capitaine dans Orléans-infanterie, d'où son père le retira pour le marier en 1703 à Sibylle Monteillet, d'une famille lyonnaise dont nous n'avons pu retrouver trace. Il mourut le 22 mars 1765 ayant eu de son mariage sept enfants, cinq filles[26] et deux fils; le cadet, né le 17 novembre 1717 embrassa comme son père la carrière militaire: il fut lieutenant dans Tallard-infanterie le 1er décembre 1733, capitaine le 21 mai 1738, et mourut chevalier de Saint-Louis le 27 octobre 1750, des suites de ses blessures.

Quant à l'aîné, Louis-François, propre grand-père du poète, c'est une curieuse figure de gentilhomme, dont on a déjà vu les prétentions nobiliaires. Il était né le 4 octobre 1711 et, par le relevé de ses états de services, on voit qu'il fut enseigne le 3 octobre 1730 au régiment de Tallard-infanterie—devenu par la suite régiment de Monaco,—promu lieutenant le 22 août 1731, capitaine le 10 novembre 1733, et qu'il quitta l'armée le 1er octobre 1748 avec la croix de Saint-Louis. Comme son corps fit les campagnes de 1733, 34, 35 sur le Rhin, celle de 1744 et 46 en Flandre et de 1745 en Allemagne, il prit donc part à la guerre de succession de Pologne et à la guerre de Sept ans.

Lamartine, qui l'avait d'ailleurs à peine connu mais pouvait en parler d'après les souvenirs de son père, nous en a laissé un agréable portrait, un peu inexact quant aux détails, puisqu'il en a fait un capitaine de cavalerie: «Il avait été superbe, dit il, dans sa première jeunesse; en garnison à Lille, sous Louis XV, il avait frappé les yeux de Mlle Clairon qui y débutait alors, et en avait été remarqué. J'ai encore vu les restes de ses équipages tels que sa magnifique argenterie de campagne... Il avait servi longtemps dans les armées de Louis XV, et avait reçu la croix de Saint-Louis à la bataille de Fontenoy. Rentré dans sa province avec le grade de capitaine de cavalerie, il y avait rapporté les habitudes d'élégance, de splendeur et de plaisirs contractées à la Cour et dans les garnisons.»

Si les Mémoires de la Clairon sont muets sur son séjour à Lille, tout au moins retrouve-t-on trace des équipages dans le laissez-passer que lui délivra le 27 juillet 1748, à Bruxelles, le maréchal de Saxe[27]. Quant à ses habitudes de luxe et de splendeur, nous en avons la preuve dans les embellissements qu'il apporta à ses propriétés et à sa belle bibliothèque où chaque volume était timbré de ses armes[28].

Quelques années après son retour à Mâcon, il épousa le 23 août 1749 Jeanne-Eugénie Dronier, fille de Claude-Antoine Dronier, seigneur du Villard et de Pratz, conseiller au Parlement de Besançon, et de Cécile-Eugénie Dolard, qui lui apporta en dot d'importants domaines dans le Jura[29]. Ainsi, à la fin du XVIIIe siècle, la famille de Lamartine était, on le voit, un des plus considérables du pays. Le 18 novembre 1760, Louis-François fut même élu de la noblesse aux États particuliers du Mâconnais, où les représentants des trois ordres réglaient les affaires de leur province[30].

D'autre part, d'heureux mariages avaient augmenté le patrimoine ancestral. En 1750, Louis-François avait acquis près de Dijon la seigneurie d'Urcy avec le château de Montculot, admirablement situé sur un plateau raviné et tourmenté, et entouré de magnifiques forêts; quatorze sources avaient été captées pour embellir le parc qui descendait en gradins sur les flancs de la colline, et les bâtiments, aujourd'hui ruinés, semblent avoir été élevés à cette époque.

En outre, il possédait en Mâconnais des vignobles importants: c'était Péroné, Champagne et Collonges[31]; La Tour de Mailly[32], Escole, Milly, dont les terres avaient presque doublé depuis Jean-Baptiste, et enfin Montceau, où rien n'avait été épargné pour en faire une résidence seigneuriale; on y accédait par une allée de noyers centenaires, longue d'un kilomètre, et que plus tard Lamartine fit abattre comme donnant trop d'ombre à ses vignes. À l'exemple du comte de Montrevel, Louis-François y avait même fait élever une salle de spectacle où l'on jouait la comédie. Les appartements étaient magnifiquement meublés et, à voir les inventaires dressés sous la Terreur, on comprend l'acharnement que Louis-François mit alors à défendre son bien, sans guère se douter, semble-t-il, qu'il jouait là sa tête.

Les gros revenus que nécessitait un pareil train étaient tirés, d'abord des terres de Bourgogne, mais principalement des biens considérables que Mlle Dronier avait apportés en dot, et situés en Franche-Comté. C'étaient d'abord le château et les bois de Saint-Claude et Pratz; les forêts du Franois, dont les sapins s'étendaient sur plusieurs centaines d'hectares, et qui vaudraient, dira plus tard Lamartine, «des millions», mais qui, d'après lui, furent vendues peu de temps avant la Révolution. Puis deux usines hydrauliques de fil de fer à Saint-Claude et à Morez en Jura, dont Louis-François s'occupait assidûment[33]; enfin, la terre des Amorandes, avec les ruines d'un vieux château féodal, et d'importants vignobles à Poligny.

Toute cette fortune devait selon l'usage passer un jour aux mains du fils aîné, François-Louis, né le 6 juillet 1750. À l'âge de quatorze ans, il avait été inscrit a l'école de la compagnie des chevau-légers du roi, après examen des fameuses preuves de noblesse établies par son père.

Mais il était d'une santé délicate, et dut en 1776 quitter la compagnie où il n'avait fait d'ailleurs que de rares apparitions, «n'ayant tardé à venir faire ses exercices dit une note de son dossier, que par sa maladie dont il a donné les preuves». Il souffrait de la poitrine, et bientôt son état s'aggrava à un tel point que les médecins lui déconseillèrent le mariage. Or le cadet, Jean-Baptiste, était entré dans les ordres; pour assurer la postérité, il fallut donc chercher plus loin encore, et tirer de l'ombre, où il était destiné à végéter, le troisième et dernier fils, le petit chevalier de Pratz, Pierre de Lamartine.

Il était né le 21 septembre 1751; selon l'usage du temps, il ne devait pas se marier, mais, comme l'a dit Lamartine, «vieillir dans le grade modeste de capitaine, gagner lentement la croix de Saint-Louis puis, dans un âge avancé, végéter dans une chambre haute de quelque vieux château de son frère aîné, surveiller le jardin, dresser les chevaux, jouer avec les enfants, aimé mais négligé de tout le monde, et achever ainsi sa vie, inaperçu, sans biens, sans femme, sans postérité, jusqu'à ce que les infirmités et la maladie le reléguassent dans la chambre nue où pendaient au mur son casque et sa vieille épée, et qu'on dît un jour dans le château: Le chevalier est mort.»

Cette triste et solitaire existence, Pierre de Lamartine semble l'avoir acceptée avec résignation. À dix-sept ans, après avoir déjà servi deux ans comme volontaire, il adressa au ministre de la Guerre une demande en vue d'obtenir un brevet de sous-lieutenant sans appointements dans le régiment de Dauphin-cavalerie, où commandait le comte de Vibraye, ancien compagnon d'armes de son père.

Il ose espérer, terminait-il, qu'on lui accordera cette grâce en considération de ses pères et parents qui ont sacrifié une partie de leur vie et de leur fortune au service du Roy, auquel étant cadet de famille, il se propose lui-même de sacrifier avec zèle sa vie.

Le 11 mai 1769, la demande était accordée; le 1er janvier 1772, il obtenait le grade de sous-lieutenant en pied, celui de lieutenant en second le 18 juin 1776, en premier le 14 février 1779, celui de capitaine en second le 12 juillet 1781, et de capitaine le 9 mars 1788. C'est à cette époque qu'on s'occupa sérieusement de le marier.

Il en était question déjà depuis longtemps, paraît-il, mais d'année en année on ajournait «cette énormité». Lamartine a raconté, avec une verve exquise, toutes les difficultés que rencontra cette décision. C'était un soulèvement général de tous les sentiments de famille. Les chevaliers ne sont pas faits pour se marier, disait la mère révoltée: «c'est monstrueux». Mais d'autre part, laisser s'éteindre le nom, c'eût été, a-t-il dit, un crime contre le sang. Il fallut se décider malgré tout.

Tout au moins lui laissa-t-on faire un mariage d'inclination, puisqu'il épousa une jeune fille qu'il aimait depuis longtemps, mais peu dotée, ce qui n'était guère dans les traditions de la famille: Françoise-Alix Des Roys, chanoinesse-comtesse au chapitre de Salles en Beaujolais, fille d'un intendant des finances du Palais-Royal et d'une sous-gouvernante des enfants du duc de Chartres.

CHAPITRE II

LES DES ROYS[34]

Les Des Roys, famille de juristes et de magistrats, n'ont guère laissé de trace dans l'histoire de leur temps; comme les Lamartine en Bourgogne, ils vécurent tous en Auvergne la même existence probe et obscure du gentilhomme provincial fidèle au pouvoir et aux traditions, sans qu'aucun grave événement vînt modifier leurs jours paisibles et bien occupés. Avocats de père en fils dès le début du XVIe siècle, ils resteront toujours pauvres: ni leur carrière peu fructueuse, ni le sol ingrat du Velay ne pouvaient les enrichir.

Il est difficile d'attribuer des origines précises à leur noblesse et à leur nom. Dans tous les actes les concernant ils sont bien qualifiés de *nobles*, mais aucun d'eux, soit par la seigneurie d'une terre noble, soit par l'achat d'une charge conférant la noblesse, n'a jamais répondu aux conditions requises du noble pour justifier ses prérogatives. Reste l'hypothèse du *fait acquis*, dont bénéficiaient les familles autochtones ou très anciennement connues dans une région: seule elle paraît applicable aux Des Roys dont le nom n'est pas celui d'un fief ajouté au nom patronymique et supprimé peu à peu par l'usage, puisqu'on rencontre au cours des XVIe et XVIIe siècles des Des Roys d'Eschandelys, Des Roys de Lédignan, Des Roys de Chazotte, Des Roys de la Sauvetat. Pourtant leur noblesse est incontestable. Le fait d'avoir suivi l'exemple des vieilles familles de France en ne profitant pas de l'édit royal de 1696 pour faire enregistrer officiellement leurs armes prouve qu'en Auvergne ils n'avaient plus à fournir leurs preuves[35].

Quant au nom même, il est latin et ne provient pas, comme on serait porté à le croire, de *Regibus*, mais de *Rex*, décliné suivant sa fonction dans la phrase, transformé peu à peu en *Reis*, puis en *Roys*; l'évolution est d'ailleurs facile à suivre du XIIe au XIIIe siècle. *De Regibus* n'apparaît qu'au XVe siècle, alors que le nom tout à fait francisé est traduit alors sous son équivalent le plus exact dans les actes latins.

Des nombreux Rex, Regis, Rege ou Reis—la plupart notaires ou clercs—qui figurent dans les cartulaires ou polyptyques de la région lyonnaise de 1100 à 1400[36], on peut conclure que là est le véritable berceau de cette famille, plus tard divisée en plusieurs branches, mais toute possessionnée en Languedoc, en Auvergne ou en Bugey; celle qui nous occupe se fixa en Velay où la première mention qu'on en rencontre remonte à 1279[37]. À partir de cette date les documents deviennent plus nombreux, sans qu'il soit possible, bien entendu, d'établir une filiation directe. Enfin, au début du XVIe siècle, nous nous trouvons en présence d'une famille Des Roys établie de longue date, semble-t-il, à Montfaucon près du Puy et comptant de nombreuses alliances avec de vieilles maisons du pays. Jusqu'au milieu du XVIIIe siècle elle demeura dans ce bourg désolé, situé à 16 kilomètres d'Yssingeaux sur un plateau balayé de coups de vent terribles, enfoui six mois de l'année sous la neige, privé de ressources naturelles, et sans autres végétation que les bois de pins sombres qui dominent les gorges de la Dunière. Point de mouvement sinon celui des pèlerinages à la Vierge noire du Puy, très fréquentés alors, et au XVIe siècle celui des bandes catholiques ou huguenotes qui ravageaient le pays avant d'entrer en Languedoc.

C'est là que vers 1480 vivait le premier Des Roys auquel on puisse rattacher directement Lamartine, «vénérable et discrète personne Denis Des Roys» dont nous savons même fort peu de chose. Par son testament rédigé le 25 février 1528 et où il est qualifié de bachelier ès lois, on voit qu'il avait trois frères: Mathurin, curé de Raucoules[38]; Louis, curé du Pailhet[39], et une sœur, Catherine, mariée à Pierre Aurelle, dont elle était veuve à cette époque. En premières noces Denis Des Roys épousa Claude de Lagrevol et plus tard Isabelle Vacherelle; de ces deux mariages naquirent sept enfants, deux filles: Vidalle, Marthe, femme d'Antoine de Romezin, et cinq fils: Antoine et Aymard, les deux plus jeunes, entrèrent dans les ordres; un autre, Pierre, fut «apoticaire»; le cadet, Sébastien, alla s'établir à Toulouse et l'aîné, Antoine, épousa Marguerite de Baulmes et de Jussac. Quant aux biens qu'il possédait alors, ils comprenaient une maison à Montfaucon, et deux terres, le grand et le petit Rebecque.

Mais si ce long document ne fournit que de très vagues renseignements sur l'état et la situation des Des Roys au début du XVIe siècle, sa rédaction soignée et sa forme souvent recherchée dénotent chez Denis une habitude de la langue polie peu commune à l'époque; issu d'une lignée érudite, apparenté à des ecclésiastiques lettrés[40], lui-même docteur en droit, il avait tenu à préciser élégamment les moindres détails de sa pompe funéraire, parfois, il est vrai, avec un soin un peu macabre comme on peut en juger par ce début:

Préalablement à Dieu tout puissant et à la benoyste Vierge Marie sa mère et par intercession de tous les saints et saintes du Paradis, je recommande mon âme et mon corps après mon trépassement et, avant toute œuvre, je rends à Dieu mon créateur grâces de ma nativité, corps et membres dont il m'a créé, des cinq sens qu'il m'a prestés, des beaux enfants qu'il m'a donnés, et de tous les biens qu'il lui a pleu me donner durant ma vie en ce monde.

Item je me confesse à lui et à la glorieuse Vierge Marie, à monsieur Saint Denis, Saint Christophe et à tous les saints et saintes du Paradis de tous les peschés et méfaits en quoy durant maditte vie je suis escheu et desquels je n'en aurais été autrefois confessé.

Item veux et ordonne que mon âme séparée du corps, mon dit corps soit veillé par mes bons amis et puis dedans un tombeau porté dans l'église de Montfalcon et dessus la couverte apartenant au curé de la dicte Église par ses droits accoutumés; veux aussi m'estre mis un linceul blanc sur le chef avec une croix noire du long et de travers en mémoire de la Sainte Croix.

Item que ceux qui porteront mondit corps, reconnaissant que suis venu en ce monde nud, seront pieds nuds; en contentement de leur peine je donne à chacun c'est à sçavoir deux aulnes et demie de mandel noir et dîner afin qu'ils prient Dieu pour mon âme.

Item veux qu'à ma sépulture soient convoqués tous les prêtres de cette ville de Montfalcon et de Raucoules et du Pailhet lesquels seront tenus de dire à haute voix le psautier ainsi qu'il est accoutumé et après ledict psautier veux qu'ils disent les litanies et là où on dit *ora pro nobis*, ils diront *ora pro eo.*

Suivent, pendant quatre pages, l'ordre de son convoi; les noms des amis qu'il prie d'y assister, le nombre de messes qu'il requiert—autant qu'il aura vécus d'ans «en ce misérable monde»—et jusqu'à la décoration de l'église où il ordonne «qu'il soict faict lume de six livres de cire tant en quatre petites torches qu'en autres chandelles tellement que tout le chandellier neuf soit garny».

La question des legs était plus brièvement traitée; il laissait sa femme usufruitière de ses biens, lui donnait ses joyaux, anneaux, ceintures, et une tasse martellée; abandonnait au curé de Montfaucon une partie de sa garde-robe «comme robe, pourpoint, chausses et une bonne chemise»; ses fils héritaient chacun de cent livres et ses filles de dix sols tournois; enfin, à tous les membres de sa famille et à ses amis il léguait «trois aulnes de bon mandel noir» pour porter son deuil, avec cette originale restriction que la qualité de l'étoffe devait varier entre trente et cinquante sols l'aune, suivant le degré de parenté.

Le fils aîné de Denis Des Roys, Antoine, fut à la fois l'exécuteur et le légataire universel de ce bizarre testament. Après avoir fait ses études de droit comme son père, il fut reçu licencié, titre auquel tous tenaient beaucoup puisqu'il est mentionné dans leurs contrats jusqu'au milieu du XVIIIe siècle. Il épousa, le 21 juin 1533, Marguerite de Baulmes et de Jussac, fille de Charles et d'Anne de Meyre[41].

Seuls de tous les Des Roys, Antoine connut des jours mouvementés: nommé en 1542 lieutenant criminel au bailliage de Velay, il fut victime d'une erreur judiciaire, qui lui valut en 1552 d'être condamné en cour du parlement de Toulouse au bannissement perpétuel et à la confiscation de ses biens. Il aurait, paraît-il, après avoir fait arrêter de faux monnayeurs, profité de leurs dépouilles avec quelques-uns de ses collègues qui partagèrent son sort. L'affaire demeure assez mystérieuse, mais il semble avoir été dénoncé à tort par des ennemis. Quoi qu'il en soit, il fut réhabilité publiquement en 1558 et rentra en possession de son titre.

À sa mort, survenue entre 1575 et 1583, il ne laissait pas d'enfants et institua comme héritier son neveu Sébastien, fils de son frère Pierre. Celui-ci eut alors à soutenir un long procès contre les frères et sœurs de Marguerite de Jussac, qui réclamèrent la restitution des biens de Jussac et de Baulmes dont ils prétendaient qu'Antoine ne pouvait disposer par suite de sa condamnation. Finalement, après dix-sept ans de plaidoiries et d'appels il obtint gain de cause; pourtant il se défit bientôt de ces terres qui lui avaient coûté tant de mal, puisqu'en 1636 Jussac, qui relevait de l'évêque du Puy, appartenait à Christophe de la Rivoire, sieur de Chadenac[42].

Après ces années agitées, aggravées encore par la guerre religieuse qui ravagea le pays de 1560 à 1595 et dont le Puy et Montfaucon eurent durement à souffrir, les Des Roys reprennent leur vie monotone et sans histoire. Sébastien, qui avait épousé en 1588 demoiselle Claude de Guilhon[43], laissa quatre enfants: une fille, Marie, femme de Jean Pollenon, et trois fils: l'aîné, Gaspard, marié à Jeanne de Cohacy, mourut sans héritier; le plus jeune, Pierre, avocat au Puy, fut un avocat distingué et qui connut en son temps une certaine notoriété: on lui doit quelques ouvrages de droit qui sont d'une langue claire et furent utilisés après lui pendant de longues années[44]; de son mariage avec Catherine des Olmes, d'une très vieille famille du pays[45], il laissa quatre filles, dont la descendance subsiste encore[46]. Le cadet, Melchior, avocat comme ses pères, eut de son union avec Françoise de Marnans deux filles mortes religieuses, une autre mariée à Pierre Roche, et un fils, Baltazar, né en 1610, qui épousa Claude des Olmes en 1650. En mourant, il laissait un fils, Pons Gaspard, né en 1652, marié en 1681 à Louise de Mure, père lui-même de deux fils, dont l'un, Claude, épousa en 1722 Françoise Pagey, et l'autre, Cristofle, sa cousine Marie de Romezin. Tous, continuant les traditions de la famille, avaient fait leurs études de droit à Grenoble et étaient avocats.

Il faut arriver jusqu'au milieu du XVIIIe siècle pour rencontrer quelque variété dans l'histoire de la famille Des Roys. Le grand-père de Lamartine nous est en effet mieux connu; son existence fut celle d'un homme de cœur et d'un fonctionnaire parfait.

Jean-Louis Des Roys était fils de Claude Des Roys, avocat au Parlement de Grenoble, et de Françoise Pagey; il naquit à Champagne en Vivarais le 27 août 1724 et de bonne heure se prépara à suivre la carrière de son père. Le 5 août 1745, il fut reçu licencié en droit à l'université de Valence et admis un an plus tard, le 20 juin 1746, comme avocat au Parlement de Grenoble. Il y fit ses débuts au barreau, et, ayant acquis quelque réputation, alla s'établir à Lyon en 1750. Bientôt, sa notoriété devint suffisante pour qu'il reçût des lettres de bourgeoisie en 1764, et fut élu échevin de la ville en 1766, puis premier échevin en 1767.

Il abandonna le barreau en 1772 pour des fonctions infiniment plus importantes, ayant été appelé cette année-là à l'intendance des domaines de la maison d'Orléans. Dans ses lettres de nomination, le duc rendait hommage à ses talents, son activité, sa probité pendant sa gestion des affaires de la ville, si bien que les Lyonnais, très satisfaits de ses services, lui offrirent aussitôt une situation analogue à celle qu'on venait de lui assurer. Mais la nomination de sa femme comme sous-gouvernante des enfants du duc de Chartres acheva de le décider.

Il avait épousé à Lyon, le 12 avril 1757, Mlle Marguerite Gavault, fille de François Gavault, receveur du grenier à sel de Saint-Symphorien, puis lieutenant civil et criminel de l'élection de Lyon, et de Françoise Mauverney. Cette alliance va donner lieu à quelques cousinages, qui, pour être authentiques, n'en sont pas moins imprévus. Françoise Mauverney était fille de François Mauverney et de Marguerite Grimod, et ce nom de Grimod, illustré au XVIIIe siècle par toute une dynastie de puissants fermiers généraux, est l'origine de curieuses parentés entre Lamartine et plusieurs de ses contemporains célèbres à des litres divers[47].

Antoine Grimod, né en 1647, directeur général des fermes unies de France, conseiller et secrétaire du Roi, avait épousé à Lyon, le 13 avril 1684, une demoiselle Marguerite le Juge, qui lui donna sept enfants, dont l'aîné, François-Alexis Grimod de Beauregard (1685-1755), mourut sans postérité.

Le cadet, Gaspard Grimod, seigneur de la Reynière, fut marié deux fois: du premier lit il eut un fils, Jean-Gaspard (1733-1793), fermier général, époux de Françoise de Jarente, dont il eut Baltazard-Laurent Grimod de la Reynière, fastueux épicurien et gastronome célèbre dont les bons mots et les petits soupers défrayèrent longtemps la chronique scandaleuse à la fin du XVIIIe siècle. Du second lit, il eut deux filles: l'une, Madeleine, mariée au comte de Lévis; l'autre, Marie-Françoise, qui épousa Chrétien-Guillaume de Lamoignon de Malesherbes, défenseur de Louis XVI auprès du tribunal révolutionnaire; la fille de Malesherbes devint la femme du marquis Louis de Rosanbo, dont la première fille, Thérèse (1771-1794), épousa Jean-Baptiste-Auguste de Chateaubriand, comte de Combourg, conseiller au parlement de Bretagne, puis capitaine au Royal-cavalerie, le frère de René, et dont la cadette, Louise-Madeleine, fut mariée au comte de Tocqueville, père du célèbre historien et philosophe.

Le troisième fils d'Antoine Grimod et de Marguerite le Juge, Pierre Grimod de Dufort d'Orsay (1698-1748), fermier général, fut tout aussi bien casé que ses aînés; trois fois marié, il n'eut d'enfant que de sa dernière union avec Marie-Antoinette de Caulaincourt. L'aîné fut Pierre-Gaspard-Marie, comte d'Orsay, qui épousa d'abord la princesse Amélie de Croy, puis, devenu veuf, la princesse Elisabeth de Hoenloe-Bartenstein. Un fils de son premier lit,

Albert-Gaspard (1772-1843), prit pour femme Éléonore de Franquemont, qui lui donna une fille, Anna Ida, mariée en 1818 à Héraclius, duc de Grammont, et un fils, Gillion-Gaspard-Alfred, comte d'Orsay, surintendant des beaux-arts, le fameux «dandy» amant de la belle lady Blessington, à qui, en échange d'un buste, son cousin Lamartine dédia l'*Ode au comte d'Orsay*.

Le dernier fils d'Antoine Grimod, Gaspard Grimod de Verneuil, nous réserve une surprise encore plus singulière: sa fille, mariée à un certain Charles Bouvet, fut la mère de Marie Bouvet, qui devint la femme de Charles-Jacob de Bleschamp, et la grand'mère d'Alexandrine de Bleschamp (1778-1855); celle ci, après son divorce d'avec un aventurier nommé Jouberthon, épousa en 1802 Lucien Bonaparte, prince de Canino, frère de Napoléon Ier, dont deux des petits-fils sont le prince Roland Bonaparte et le général Wyse-Bonaparte, actuel ministre de la Guerre des États-Unis d'Amérique, et l'arrière-petite-fille la princesse royale de Grèce. Quant à la fille aînée d'Antoine Grimod, Marguerite, elle fut mariée: 1° à François Mauverney[48] dont elle eut une fille, Françoise; 2° à Charles Gavault, veuf également et père d'un fils, François, qui épousa la fille du premier mariage de sa belle-mère. De cette union naquirent deux filles: l'aînée, Françoise, épousa en 1743 Charles Dareste de la Plagne, dont le fils fut directeur des tabacs à Naples sous le premier Empire et employa Graziella parmi ses cigarières; la cadette, Marie Gavault épousa, on l'a vu, Jean-Louis Des Roys, et leur fille, Alix, fut la mère de Lamartine.

Par les Grimod, celui-ci se trouvait donc allié par le sang à Grimod de la Reynière, à Malesherbes, à Tocqueville, aux Bonaparte, aux Chateaubriand, aux Grammont, aux Lévis, aux de Croy et aux Montmorency.

Cette alliance avec la puissante famille Grimod fut d'ailleurs extrêmement précieuse à Jean-Louis Des Roys lors de son séjour à Paris comme intendant des finances du duc d'Orléans, car les innombrables relations de Laurent de la Reynière lui valurent bientôt un petit cercle assidu aux réceptions de sa femme dans l'appartement qu'elle occupait au Palais-Royal.

Le peu que nous sachions de Mme Des Roys la montre comme une femme pleine de simplicité, vertueuse sans affectation et profondément dévouée aux d'Orléans. «Mme Des Roys, dit Lamartine dans les *Confidences*, était une femme de mérite; ses fonctions dans la maison du premier prince du sang attiraient et groupaient autour d'elle beaucoup de personnages célèbres à l'époque. Voltaire, à son court et dernier voyage à Paris qui fut un triomphe, vint rendre visite aux jeunes princes: ma mère, qui n'avait que de sept à huit ans, assista à la visite... D'Alembert, Laclos, Mme de Genlis, Buffon, Florian, l'historien anglais Gibbon, Grimm, Morellet, Necker, les hommes d'État, les gens de lettres, les philosophes du temps vivaient dans la société de Mme Des Roys.» À part le détail touchant Voltaire, ceci est suffisamment vérifié par les mémoires de Mme de Genlis, sa perfide rivale, obligée de convenir elle-même de la réputation de Mme Des Roys auprès de la société de leur temps.

En 1773, à la naissance du duc de Valois, qui deviendra Louis-Philippe, Mme Des Roys avait été nommée sa gouvernante, sous le contrôle de la vieille marquise de Rochambeau, et cette faveur fut l'origine de la rancune tenace que lui voua la vindicative Mme de Genlis. La belle Félicité, alors maîtresse en titre du duc de Chartres et son Égérie, avait ambitionné ce poste qui aurait au moins donné quelque excuse à sa présence perpétuelle auprès des princes, mais la duchesse s'y opposa. Sans égards à la bienveillance dont Mme Des Roys avait jadis fait preuve envers elle, puisqu'elle lui devait d'être entrée au service de la famille d'Orléans sur la recommandation de Grimod de la Reynière son cousin, elle commença une violente campagne contre sa bienfaitrice et l'accusa auprès du duc d'élever ses fils dans les idées philosophiques de ses amis les plus habituels. Indignée, la bonne Mme Des Roys, qui, jusqu'alors avait traité de calomnie la liaison de Mme de Genlis et du duc de Chartres, en profita pour fermer sa porte à la dangereuse créature en même temps qu'à Grimod de la Reynière qui avait pris parti contre elle[49]. Celle-ci s'en vengea comme elle put, et l'on sent, à lire ses *Mémoires* rédigés plus de quarante ans après, que sa haine n'était point encore éteinte. En 1781, en effet, elle fut nommée *gouverneur* des princes au grand scandale de la cour et, rapportant avec orgueil les souvenirs de ce temps, elle s'exprime ainsi sur le compte de celle qui l'avait précédée auprès du duc de Valois:

«J'ai le droit, dit-elle, de ne pas estimer certaines personnes, parce qu'elles ont été d'une très noire ingratitude envers moi; telle, par exemple, Mme Desrois[50]», et plus loin, à la fin d'une conversation avec ses élèves: «Il m'a paru que vous étiez très froids pour Mme Desrois; vous lui parlez à peine. Vous ne lui montrez aucune amitié, vous ne demandez jamais de ses nouvelles; cela est mal et ridicule.» Puis, elle ajoute ingénument: «Ils avaient cette froideur pour elle parce qu'elle s'était brouillée publiquement avec moi, sans motifs et sans explication, quoique je lui eusse rendu de très grands services auprès de M. le duc d'Orléans».

En 1820, même, elle reporta sur Lamartine toute la haine qu'elle avait vouée à sa grand'mère; devenue intransigeante sur le tard, elle s'était découvert un amour imprévu de vertus qu'elle avait pourtant peu pratiquées: malgré la respectueuse dédicace que le poète avait inscrite sur l'exemplaire des *Méditations* qu'il lui fit parvenir, elle en rédigea dans *l'Intrépide*[51] un compte rendu perfide et malveillant, où elle ne se fit pas faute de répéter tout le mal qu'elle pensait, sinon de l'œuvre, tout au moins de la famille de l'auteur.

Le titre lui paraît impropre, car «la méditation doit être paisible et profonde»; or elle a relevé des morceaux tels que *l'Enthousiasme* et *la Gloire*, qui sont au contraire «d'une inspiration soudaine, d'une exaltation remplie de désordre et de feu»; les souvenirs d'amour sont des *rêveries* et non des *méditations*; enfin *le Désespoir*, «impulsion coupable et forcenée», ne saurait non plus être une méditation.

Puis, elle entre dans le vif de l'œuvre où le mélange d'un amour profane et de scènes religieuses lui semble d'abord tout à fait déplacé, «car il n'est ni vraisemblable ni d'un goût sévère de passer sans transition de l'exaltation de la piété au souvenir de sa maîtresse»; «Reste d'âme» la choque; le vers:

Et ces vieux panthéons peuplés de *dieux nouveaux*

est une expression «d'athée», qu'elle souhaite de voir corrigée dans la prochaine édition; «fenêtre» est un mot familier et «déplacé dans le genre noble»; les vers:

Des théâtres croulants dont les frontons superbes
Dorment dans la poussière ou rampent dans les *herbes*

lui suggèrent la même réflexion «parce qu'au pluriel, *herbe* rappelle l'usage journalier qu'on en fait dans la cuisine». Pour terminer, elle accable le jeune homme de bons avis, lui conseillant de ne pas se laisser aller au découragement après ses critiques, sévères sans doute, mais formulées sans restriction dans son intérêt même, et dictées par une sympathie que tant de raisons lui commandaient.

Ces vétilles et ces chicanes, qui firent sourire, à l'époque, ceux qui en connaissaient les motifs[52], témoignaient d'une rancune toujours vivace.

Pourtant, malgré tout l'empire de Mme de Genlis sur son amant, Mme Des Roys continua ses fonctions jusqu'en octobre 1778, grâce à l'appui de la duchesse de Chartres, à laquelle elle voua, en cette circonstance, un dévouement éternel; elle abandonna même le Palais-Royal sur un nouveau triomphe: le gouverneur qui la remplaça auprès des princes devenus grands fut proposé par elle; c'était le chevalier de Bonnard, son ami personnel, et qu'elle avait connu chez Buffon. Le frivole Bonnard, il est vrai, n'avait rien d'un éducateur, mais il valait au moins Mme de Genlis, qui le remplaça officiellement trois ans plus tard. Ainsi, Mme Des Roys sortait victorieuse de cette lutte avec la favorite; bien mieux, la duchesse voulant lui prouver sa reconnaissance l'admit dans sa maison particulière et lui confia l'éducation de sa fille la princesse Adélaïde.

Tandis que sa femme se tirait avec dignité de ces intrigues assez difficiles, Jean-Louis Des Roys, de son côte, avait su gagner la confiance et l'estime du duc d'Orléans en menant à bien un certain nombre d'opérations juridiques et financières de la plus haute importance pour son maître. À ses fonctions d'intendant des finances, il joignit l'administration des terres de la Fère, Albert et Carignan; en 1774, il avait préparé le règlement des droits, de la duchesse de Bourbon, belle-fille du prince de Condé, dans la succession de la duchesse d'Orléans, sa mère; en 1781, il reprit les négociations de l'affaire des princes de Chimay, qui traînaient depuis un siècle et, après plusieurs voyages en Belgique, il obtint la conclusion d'un traité qui assurait la pairie d'Avesne à la maison d'Orléans.

En 1785, M. et Mme Des Roys demandèrent leur retraite qui leur fut accordée; mais pour marquer la satisfaction qu'il avait des services de l'intendant de son père, le duc de Chartres lui conserva à titre de pension l'intégrité de son traitement, et le pria d'accepter d'être commissaire à la liquidation du duc d'Orléans qui venait de mourir, ce que Jean-Louis Des Roys ne put refuser.

Il se retira alors dans sa propriété de Rieux[53], qu'il avait acquise en 1776, et où, ayant obtenu la création d'une pépinière royale, il se consacra entièrement à l'agriculture. Il y vit philosophiquement commencer la Révolution, sans être jamais inquiété malgré un passé qui pourtant aurait dû le rendre suspect; quelques lettres de lui écrites à son frère de 1793 à 1795 nous le montrent parfaitement tranquille sur son sort, une entre autres, écrite de Paris le 26 mars 1793, où on lit[54]:

Je suis las, rebuté, et très impatient d'être rendu à ma nullité champêtre; ce n'est pas que je ne m'attende à trouver là de nouveaux ennuis; et quel est le lieu ou la position dans laquelle un français puisse aujourd'hui vivre dans le calme? le désir du sage doit se borner à exister hors des foyers de l'orage et à s'estimer heureux de ressentir que les battements des vagues amorties... Les bruits du moment sont que les révoltes et attroupements armés des environs de Nantes et autres parties de la Bretagne ont été dissipés avec grand carnage. Les armées du Rhin, de la Meuse, de l'Escaut se soutiennent aussi, dit-on, et disputent le terrain aux ennemis du dehors. Dieu veuille enfin nous donner la paix, la santé et l'ordre; quand ces biens seront rendus à la France, il faudra encore bien des années pour qu'elle recouvre l'embonpoint que cette fièvre dévore. Si je ne voyais que moi dans l'orage je serais peu peiné: je serais même assez philosophe pour observer sans inquiétude les agitations des hommes; mais mes enfants, mes parents, mon frère, mes amis! je ne puis pas être indifférent et froid sur tant d'objets chéris...

Tu me conseilles de vendre mes fonds; je sais très bien que je me donnerais par là de l'aisance, mais je vois aussi qu'elle ne pourrait être que momentanée. Je t'ai déjà observé sur cela que je ne trouverais en ce moment ni placement, ni emploi qui me donne sûreté et aisance; agioter n'est pas mon fait; placer en rentes ou obligations, rien de plus fragile; acquérir d'autres immeubles, rien à gagner dans ces revirements; les biens patrimoniaux se vendent à deux pour cent, j'achèterais comme j'aurais vendu. Je conclus pour attendre que le mal soit instant ou que l'on sache mieux sur quoi compter. Tu vois comme moi que les Révolutions opèrent rarement un mieux-être. Actuellement nous sommes à peu près maîtres de nos âmes et de nos sentiments; cela seul est à notre direction.

Dans une autre lettre encore, du 16 avril, il apparaît toujours plus tourmenté des autres que de lui même et moins hostile qu'on n'aurait pu le prévoir aux événements du moment:

Le mystère sur ce qui se passe à Lyon, m'inquiète beaucoup; je tremble pour les parents et les amis, hélas! pour tout le monde, car je tiens à l'humanité et à mon pays. Paris est pour le moment assez tranquille, mais l'on semble craindre la disette du pain. Il y a foule chez les boulangers, on s'y étouffe pour parvenir à s'y approvisionner. Le vrai malheur ou du moins le pire de tous est la division qui règne dans la Convention; elle est, par ses scandaleuses dissensions, distraite du bien ou dans l'impossibilité de l'opérer; sa considération s'affaiblit et le désordre s'accroît; cependant, cette Convention, toute orageuse qu'elle est, forme le seul lien, le seul pivot sur lequel tout roule. Le vaisseau s'abîme si le pilote lui manque en ce moment de crise.

Il cessa pourtant bientôt de lui faire crédit et c'est très désabusé qu'il écrivait le 22 août 1795:

Sûreté personnelle et du pain: ces biens n'ont heureusement pas cessé d'exister ici, mais la mauvaise santé de quelques-uns de ceux qui m'entourent et les inquiétudes et les misères publiques et trop universelles ont toujours écarté de moi la gaieté.

Il serait bien temps que nous aperçussions quelqu'étincelle du bonheur que la Révolution nous a tant présagé; Dieu veuille que la nouvelle Constitution qu'on nous prépare en jette enfin des fondements plus solides que ne l'ont été ceux des précédentes.

Le calme rétabli, Jean-Louis Des Roys et sa femme se retrouvèrent à nouveau dans leur propriété de Rieux où ils s'apprêtaient à finir paisiblement leurs jours lorsque la duchesse d'Orléans vint mettre une fois de plus leur dévouement à l'épreuve. La princesse, transférée à la pension du docteur Belhomme après le 9 thermidor, essayait de s'y faire oublier, lorsque le 6 septembre 1797 le gouvernement décida la mise en vigueur d'un décret du 21 prairial an III, ordonnant l'expulsion immédiate de tous les membres de la famille de Bourbon et la confiscation de leurs biens. Elle se mit en route pour l'Espagne et écrivit de Barcelone une lettre à Mme Des Roys en la priant d'aller jusqu'en Hongrie chercher sa fille, la princesse Adélaïde, pour la ramener près d'elle. La jeune fille, émigrée dès 1791 avec Mme de Genlis, avait été abandonnée par elle à l'étranger pendant que Félicité voyant la cause royale perdue, gagnait Hambourg où elle se rendait vite insupportable à tous les Français par son hypocrisie et ses calomnies.

Heureuse de pouvoir prouver une dernière fois son dévouement à ses anciens maîtres, la vieille Mme Des Roys se mit en route à la fin de décembre 1799 et, après un long et pénible voyage qui dura près de deux ans et demi, elle accomplit heureusement sa mission. Forcées d'éviter la France interdite à la princesse Adélaïde, les deux femmes avaient dû descendre de Hongrie en Italie, où elles s'embarquèrent à Livourne; le 12 avril 1802, on lit dans le *Journal intime*:

J'ai reçu une lettre de ma mère qui m'annonce enfin son arrivée à Barcelone; elle a éprouvé beaucoup d'événements, entre autres une tempête dans la traversée de Livourne en Espagne, qui a duré trois jours et deux nuits; l'entrevue de Mme d'Orléans et de sa fille a été des plus touchantes, il y avait onze ans qu'elles étaient séparées.

La princesse Adélaïde n'oublia pas cet admirable dévouement; lorsqu'en 1814 elle reprit le chemin de Paris, elle tint à s'arrêter à Lyon pour voir les deux filles de son ancienne gouvernante, Mme de Lamartine et Mme de Vaux, et leur offrit de merveilleuses dentelles qui avaient appartenu à sa mère. Mais un an plus tard, lorsque le chevalier de Lamartine voulut obtenir, pour lui la croix de Saint-Louis, pour son fils un brevet de garde du corps, il eut du mal à voir sa requête aboutir. En 1825, enfin, Lamartine trouva moyen de s'aliéner complètement le duc d'Orléans par quelques vers vraiment maladroits de son *Chant du Sacre*, et dès ses débuts en politique le fossé se creusa encore plus profond: sa conscience, sa vision poétique et grandiose de la liberté primèrent en lui tous les autres sentiments. Mais n'y a-t-il pas quelque mélancolie à penser que celui dont Mme Des Roys avait bercé les premières années avec tant de sollicitude devait être chassé du trône par le petit-fils de sa vieille gouvernante?

Jean-Louis Des Roys mourut le 14 octobre 1798, et sa femme le 10 juillet 1804. De leur mariage étaient nés six enfants; l'aîné, Pierre-François, né le 12 février 1738, fut conseiller à Rouen et mourut sans avoir été marié le 8 mai 1810. «Il m'avait presque tenu lieu de père pendant mon enfance, écrira sa nièce en inscrivant la triste nouvelle, et avait contribué à mon mariage en me donnant 10000 francs comptant et en m'en assurant 12000 après lui.»

Des quatre filles de Mme Des Roys, l'aînée, Catherine Julie, née le 9 janvier 1761, épousa en 1778 Charles-Henrion de Saint Amand, frère du président Henrion de Pansey; la seconde, Émilie (22 janvier 1762-1827), fut mariée à Louis Papon de Rochemont; la troisième, Césarine, née le 29 novembre 1763, devint la femme de Pierre-Benoît Carra de Vaux Saint-Cyr, et la dernière, Alix, devint Mme de Lamartine[55]. Enfin le dernier des fils, Lyon Des Roys, eut une triste existence d'homme de lettres manqué qui fournit la véritable explication des terreurs de Mme de Lamartine lorsqu'elle vit son fils tourmenté lui aussi, à vingt ans, de la même fièvre poétique.

Il était né à Lyon le 5 novembre 1768, et la ville qui, pour rendre hommage à son père alors échevin, avait tenu à être son parrain, délégua le prévôt des marchands au baptême; la cérémonie eut lieu en grande pompe le jour suivant en la cathédrale de Saint-Paul; la marraine fut, par procuration, Marie-Françoise de Beaumont, fille de Gaspard Grimod de la Reynière et tante de Mme Des Roys[56]. Ainsi, l'enfant semblait promis à quelque belle destinée alors que la réalité fut tout autre: ce qu'on sait de lui révèle un certain désordre mental, le délire de la persécution, un amour effréné de la publicité, et surtout un véritable désespoir de ne pas dépasser la médiocrité.

Il fit ses études au collège de Juilly, d'où il fut chassé en 1793 par la Révolution; en 1799 il était maître répétiteur de mathématiques dans cet établissement qui venait de rouvrir sous une nouvelle direction. Pour occuper ses loisirs, il rima alors un poème sur la géométrie, une tragédie en cinq actes, *la Mort de Caton*, une comédie, *l'Antiphilosophe*. Ce fut l'origine de tous ses malheurs: en juillet 1799 il abandonna le collège pour Paris, rêvant la gloire littéraire, et s'imaginant avec présomption que son génie suffirait à le faire vivre. La lutte qu'il soutint pendant trois ans pour arriver à la célébrité, les railleries, les épigrammes dont il fut accablé eurent quelque retentissement à l'époque, et un critique dramatique, qui l'avait pris en grippe, Salgues[57], mena même contre lui une campagne de ridicule où il finit par succomber. On peut en juger par ces quelques extraits de *l'Observateur des spectacles*, où l'odyssée de Lyon Des Roys fut l'occasion de plusieurs articles.

Le cit Desroys n'est point un de ces petits-maîtres à la mode qui ont fondé leur succès sur les grâces de leur figure et l'élégance de leurs manières; c'est un homme simple, nourri à la campagne et dont la physionomie se rapproche un peu de celle de quelques personnages fêtés sur le théâtre Montansier. Habitué à composer des idylles pour les bergeries de Montmirail et des tragédies pour le curé de sa paroisse, il n'a guère connu jusqu'à présent de plus grandes solennités que celles de la messe ou du prône... La nature, avare dans ses productions originales, n'enfante pas tous les jours de ces êtres privilégiés destinés à réjouir les journalistes. Sous ce rapport, le cit. Desroys est une de ses conceptions les plus heureuses, et nous ne saurions trop nous empresser de le faire connaître.

Déjà les deux nymphes[58], arrivées au point où les soins paternels cessaient d'être nécessaires, aspiraient à se produire dans le grand monde, à étaler les charmes dont elles étaient parées, lorsque le cit. Desroys, en père tendre et compatissant, s'est déterminé à les transporter dans sa malle à Paris. Mais sur quel théâtre exposera-t-il ces rares merveilles de la nature? Il a à choisir entre la salle Montansier, les boulevards ou la République[59]. La République aura ses préférences. Déjà le cit. Desroys a mis son habit du dimanche: un bas de soie réservé pour le jour de Pâques a succédé à la guêtre qui déguise la faiblesse de son mollet et l'épaisseur de ses orteils; une cravatte brodée à crête de coq enveloppe son long col et dépasse son menton; un linge mouillé dans un gobelet a fait disparaître les traces de poussière qui s'étendent sur son front; sa main, blanchie par le savon, soutient avec orgueil ses deux filles chéries qu'il se hâte de présenter au sévère Florence[60].

Illustre semainier qui rédigez l'annonce des spectacles et convoquez le conseil suprême qui, dans son indulgence ou ses rigueurs, élève ou abaisse la puissance poétique, généreux Florence, soyez favorable au Sophocle de Montmirail!

C'est dans cet appareil et présenté par ces propos un peu lourds, que Lyon Des Roys aborda le comité de lecture du Théâtre-Français, et une épigramme complaisamment recueillie par son terrible ennemi nous apprend l'accueil qu'il en reçut:

Dieu paternel, quel dédain, quel accueil!
De quelle œillade altière, impérieuse,
Le fier Batiste écrase ton orgueil,
Pauvre Desroys! la Raucourt est moqueuse;
Elle riait, Saint-Prix te regardait
D'un air de prince, et Dugazon dormait;
Et renvoyé, penaud, par la cohue,
Tu vas gronder et pleurer dans la rue.

Le jeune auteur fut pourtant ravi de tant de bruit fait autour de son nom, et ce refus, loin d'abattre son courage, ne fit qu'exciter sa verve; lui-même rendit publique sa mésaventure dans une *Épître à Dazincour*, célèbre comique du temps, qui l'avait patronné paraît-il auprès du comité de lecture; c'est allégrement qu'il s'écriait:

Touchés de mon discours modeste,
Les premiers talents comme toi
Se sont déjà montrés pour moi:
Monvel, Talma, Mars et Devienne;
Mais la fâcheuse et dure antienne
De l'implacable Grandménil
M'a renvoyé dans mon chenil!
Va, ne crains pas que je m'y tue!
Ma muse est à la fin connue,
Ami, voilà ce qui m'en plaît,
C'est pour cela que j'ai tout fait.

L'échec paraît néanmoins lui avoir été plus pénible qu'il ne le laissait entendre, puisque peu de temps après il publia une *Épître aux Comédiens* dont la préface est pleine d'amertume:

Je suis bien loin de prétendre, y lit-on, valoir mieux que les Legouvé, les Arnaud, les Collin; mais quand je vois jouer des pièces aussi froides que celles qu'on nous donne souvent, alors l'indignation s'empare de mon esprit et je trouve qu'on me fait injure de ne pas du moins essayer les miennes.

Combien peu, pourtant, il était exigeant:

Que demandai-je aux comédiens? une lecture de la pièce entière? Non, mais une lecture du premier acte, de la première scène! Si j'avais été entendu, j'étais content, je leur promettais un ennui très court, mais ils n'ont pas voulu courir le danger.

Il terminait enfin par le procès du comité de lecture:

Comité secret et invisible qui rend les réponses les plus rébarbatives; en se barricadant de la sorte, les acteurs de Paris ne peuvent être abordés que par un petit nombre de favoris dont la fortune est déjà faite, et par conséquent l'ardeur refroidie.

Pour se venger des comédiens qui l'évinçaient, de la critique qui le raillait, et persuadé que l'opinion prévenue contre lui ne demandait qu'à lui rendre justice, l'infortuné eut une idée dont l'originalité n'a certes jamais été atteinte depuis; il fit imprimer sa comédie, où on lisait ces simples mots à la fin du IVe acte:

Absence du Ve acte. Cet acte n'est pas le plus mauvais, mais nous ne voulons pas nous dépouiller de toutes nos richesses pour un public ingrat qui ne nous en saura aucun gré. S'il a quelque curiosité de connaître la pièce entière et d'en bien juger, il n'a qu'à l'appeler sur la scène.

Ce bizarre appel au peuple échoua complètement; plus ingrat que jamais, le public n'imposa pas la représentation de *l'Antiphilosophe* dans un de ces grandioses mouvements de foule qu'avait rêvé l'auteur; plein d'indifférence, il se contenta même des quatre actes et n'exigea jamais leur dénouement. Inlassable, Lyon reprit la lutte et, puisque le public n'allait pas à lui, il irait au public. À cet effet, il fit placarder dans Paris de grandes affiches bleues et rouges où la conduite du comité et des journalistes était durement appréciée, et où il annonçait que le 13 avril 1802 il ferait une lecture publique de son *Caton* dans une salle qu'il loua, éclaira et meubla à ses frais. Le lendemain, Salgues, qui l'avait laissé en paix déjà depuis quelques mois, rendit ainsi compte de la soirée dans son journal:

Il faut le dire, pour l'amitié que nous portons au citoyen Desroys, cet auteur avait mal choisi son jour... Après avoir été *crucifié* par les Comédiens-Français, c'était mal entendre ses intérêts que de prendre le Vendredi-Saint pour ressusciter. D'ailleurs, les fêtes de Longchamps et le concert de l'Opéra, tout inférieurs qu'on puisse les supposer à la tragédie du *dernier des Romains*, devaient nécessairement dans ce siècle de frivolité enlever un grand nombre d'amateurs au citoyen Desroys, et c'est ce qui est arrivé. Trente personnes au plus composaient son auditoire, et ce dénument n'avait rien d'encourageant pour un poète qui aspirait à l'honneur d'être jugé par le public.

Au reste, on doit cette justice au citoyen Desroys qu'il n'a employé aucun des prestiges condamnables qui tendent à surprendre la religion des juges. Dans la crainte que l'éclat de ses yeux ne portât trop d'émotion dans nos cœurs il les a tenus constamment fermés; pour diminuer l'intensité de sa voix et la grâce de son geste, il a armé sa main droite d'un chandelier qu'il portait alternativement à sa bouche, à son nez, à ses yeux. Si quelques dents absentes de la bouche de l'auteur ne nuisaient pas à l'effet de sa prononciation, si les règles de la grammaire étaient observées dans ses vers, enfin si l'exposition du sujet ne manquait point au premier acte, il est à présumer que le citoyen Desroys eût recueilli de la part de ses auditeurs quelques marques de satisfaction plus vives que celles qui lui ont été accordées.

Mais le citoyen Desroys a reconnu lui-même qu'il manquait quelque chose à son débit, et le découragement même allait le saisir, lorsque le citoyen Simien-Despréaux s'est présenté pour soutenir son courage et ranimer son audace. Le citoyen Simien-Despréaux est un athlète plus vigoureux que le citoyen Desroys; ses traits mâles, sa voix sonore et son geste imposant, ont soutenu le second acte et quelques passages bien lus ont obtenu les applaudissements du petit nombre d'amateurs qui étaient restés après le premier acte. Le troisième, le quatrième et le cinquième n'ont point été lus: rien n'a pu vaincre la timide résistance du citoyen Desroys: ce n'est qu'après les plus vives instances qu'on a pu obtenir qu'il égayât l'assistance par la lecture du monologue de *Caton*. À l'exception du premier hémistiche, ce morceau est tout entier de la création du citoyen Desroys.

Après un tel coup de massue, un homme ordinaire aurait perdu la tête et fui Paris; Lyon n'en fit rien. Profitant de la menue notoriété que l'incident lui avait value, il réunit à la hâte quelques pièces fugitives, dont une *épître aux journalistes*, qu'il mit en vente sans tarder; c'était aussi le seul moyen pour lui de répondre à Salgues, car tous les journaux demeuraient obstinément sourds aux véhémentes imprécations qu'il leur offrait. Cette fois, pourtant, on voit par la préface, plus navrante encore qu'incohérente, qu'il avait perdu son égalité d'humeur et que sous les cruelles railleries de Salgues sa raison commençait à s'affaiblir; il écrivait tristement:

La qualité de poète est belle et honorable quand elle est conférée par la voix publique, mais jusque-là ce n'est qu'une enseigne fatale qui nous attire incessamment le cruel coup de pied de l'âne. Il est facile de supporter les injures de la médiocrité quand on a pour soi les éloges des gens d'esprit, mais avaler le fiel tout pur, voilà ce qui révolte et fait perdre la raison. Si mon extravagance a nui à ma réputation, elle y a servi en même temps: j'ai mieux aimé périr par la folie que de me laisser écraser par le ridicule. Tout n'est pas rose dans la littérature: il faut pourtant convenir que les épines qu'on y rencontre viennent souvent moins de la nature du terrain que de la position de celui qui le cultive. Je sais que les journalistes que je provoque trouveront, s'ils veulent, mille pauvretés et mille contradictions dans mes petits écrits; mais cela tient au projet insensé et opiniâtre de faire parler la renommée malgré elle. Les journalistes ne s'attaquent pas à mes œuvres, ils défigurent ma personne, et voilà ce qui est infâme et ne devrait pas leur être permis.

Enfin, après avoir ainsi stigmatisé son bourreau, il tenta une dernière fois de l'apitoyer, mais d'une façon si naïve et si ridicule que Salgues ne put se tenir de reprendre la plume à la lecture de semblables vers:

Le public s'en rapporte aux gens qui font la loi,
Il les croit de bon cœur plus habiles que soi.
Mais enfin, tôt ou tard, le bon goût les ramène;
La justice du temps est lente, mais certaine.
L'auteur modeste, en paix s'abandonne à son sort.
S'il n'est vengé vivant, il sera vengé mort.
Vous riez des moyens que mon orgueil expose?
Craignez pourtant, messieurs, qu'il n'en soit quelque chose;
Et quelle honte, ô Ciel! n'éprouveriez-vous pas
Si mon triomphe était l'effet de mon trépas!
Rendez, pendant que l'heure est encore propice,
À d'immenses travaux une faible justice;
Régner sur les esprits est un plaisir si doux,
Que les maîtres du monde en sont souvent jaloux:
Richelieu tout-puissant porte envie à Corneille.
Je crains bien pour ma part quelque chance pareille:
Bonaparte est plus grand, j'en conviens avec vous,
Il triompha des rois conjurés contre nous,
Fit jouir de la paix l'Europe et sa patrie,
Mais il n'a pas en vers mis la géométrie.

Devant cette dangereuse exaltation, son cousin Dareste, chez qui il habitait alors, jugea prudent d'écrire à Mme Des Roys et à la jeune Mme de Lamartine. Nous n'avons pas la réponse de la mère, mais on trouve trace dans le *Journal intime* de toutes les angoisses de la pauvre femme, lorsqu'elle eut sous les yeux les articles de Salgues, qu'un anonyme avait assez méchamment fait parvenir à sa belle-sœur Mlle de Lamartine. Qu'y pouvait-elle? elle écrivit à son frère une lettre tendre, mais très ferme, en le suppliant de quitter Paris et d'essayer de trouver une situation en province ou à l'étranger. Celui-ci n'en continua pas moins ses excentricités: le 7 juin 1802, on l'arrêta même à l'Opéra, où il causait un violent scandale en faisant pleuvoir sur la salle tout ce que le libraire n'avait pas vendu d'exemplaires de son *Épître aux comédiens*; il fut remis en liberté quatre jours plus tard, mais ce petit incident avait sans doute refroidi son ardeur, puisque nous savons par sa sœur qu'il partit pour l'Angleterre en juillet; il entra, paraît-il, comme professeur de français chez un prêtre anglais qui lui accordait la modeste allocation annuelle de cinq cents francs, le loyer et la nourriture.

Au bout de dix mois, incapable de se résigner à cette pitoyable existence, il regagna Paris où il végéta encore quelque temps; puis, aigri, désespéré, la tête perdue, il se tua le 15 mars 1804 à Lagnieux, près de Belley, au retour d'une visite qu'il avait faite à Lyon chez sa sœur Mme de Vaux. Mais le destin qui l'avait poursuivi sa vie durant, lui fut encore impitoyable après sa mort. Les autorités du département de l'Ain s'inquiétèrent de ce bizarre suicide—un coup de fusil dans le ventre—et comme les esprits étaient encore sous le coup de l'attentat de la rue Saint-Nicaise, on n'hésita pas à reconnaître dans le cadavre de Lyon Des Roys, malgré les papiers qu'il avait sur lui, un certain Picot-Limodan, dit *Beaumont* ou *pour le Roi*, compromis dans l'affaire de la machine infernale et qui avait réussi à prendre la fuite. Le zèle des fonctionnaires alla même jusqu'à ordonner huit jours après l'exhumation du corps et à perquisitionner chez Mme de Vaux qui ne comprenait rien à l'aventure[61]. Quant à Mme de Lamartine, elle ignora toujours la vérité sur la fin de son frère et le crut emporté par une congestion pulmonaire; mais la pseudo-conspiration arriva jusqu'à elle, et elle écrivait le 29 mars 1804:

«L'on a imaginé que mon malheureux frère mort était impliqué dans une affaire de conspiration qui a toujours été à cent lieues de son cœur et de ses moyens. Une ressemblance de nom et son arrivée d'Angleterre ont produit cette erreur. On est allé faire des visites chez ma sœur, l'on a examiné ses papiers; il n'y avait rien du tout.»

Telle fut l'existence de l'infortuné Lyon Des Roys, poète incompris comme Gilbert, Chatterton et tant d'autres; elle n'aurait guère valu de s'y arrêter aussi longuement si, comme nous l'avons dit, son exemple n'avait influé plus tard de façon décisive sur l'attitude des Lamartine lorsqu'ils virent le jeune Alphonse tourmenté du même démon qui avait perdu son oncle. On comprend mieux et l'on excuse leur opposition, parfois violente, quand à vingt-cinq ans il partit pour Paris un *Saül* en poche, frapper à la porte du même Talma qui dix-huit ans auparavant avait refusé le *Caton* de Lyon Des Roys[62]. Le souvenir de son frère était encore trop présent à la mémoire de Mme de Lamartine pour qu'elle ne fût pas effrayée de voir son fils séduit par une carrière dont un de ses proches n'avait connu que les déboires.

Quant à son œuvre poétique, elle est aussi mince que médiocre: une tragédie, une comédie, quelques pièces fugitives, un poème sur le tabac, un autre sur la géométrie, deux ou trois fables et quatre épîtres[63]; c'était insuffisant pour la conquête de Paris qu'il avait rêvée. Accordons-lui pourtant en tardive réparation que *le Dernier des Romains* ne dépare pas la série des pauvres tragédies qui encombrèrent la scène française de 1790 à 1815. Inspirés du *Caton* d'Addison et des meilleurs souvenirs de Shakespeare, ses cinq actes sont correctement rimés et bien conduits. Certains morceaux, comme la mort du héros pourraient même supporter la comparaison avec *la Mort de Socrate* de son neveu. Tous deux, il est vrai, n'ont fait qu'interpréter Platon, mais le rapprochement est assez curieux pour être noté[64].

Hasarder des conclusions à une étude aussi brève et forcément incomplète sur l'hérédité de Lamartine est délicat. Pourtant, dans ses grandes lignes, elle apparaît ainsi:

Deux familles, l'une un peu rude, chez qui la carrière des armes devient la tradition; l'autre, cultivée, affinée par quatre siècles d'étude et qui ne connut jamais d'autre métier que celui d'écrire; mais toutes deux provinciales et sédentaires, profondément religieuses et que les germes matérialistes du XVIIIe siècle ont épargnées; étroitement attachées au sol qui les a vues naître, elles y tiennent par toutes leurs alliances; au plus haut qu'on puisse remonter, elles sont fixées non pas dans des régions extrêmes de la France, mais au contraire dans deux provinces presque limitrophes, soumises aux mêmes coutumes, et dont Lyon est le centre géographique. Leur vie est simple, leurs aspirations sont saines et n'ont d'autre objet que d'augmenter à chaque génération le patrimoine d'honneur et de bien-être qu'elles tiennent de leurs pères; de tout temps une vie égale et sans histoire, presque sans efforts, comme si toutes les forces vives des deux races eussent dû sommeiller pendant quatre siècles pour s'éveiller et s'épanouir enfin dans leur dernier rameau.

DEUXIÈME PARTIE

LE MILIEU

CHAPITRE I

LA FAMILLE[65]

À la naissance de Lamartine, sa famille se composait de Louis-François-;-alors âgé de quatre-vingts ans,--;de sa femme et de leurs six enfants: trois fils et trois filles. Si l'on en excepte les grands-parents qu'il connaîtra à peine, tous les autres joueront dans sa jeunesse un rôle trop important pour ne pas préciser un peu leurs figures très effacées aujourd'hui.

L'aîné des fils, François-Louis, était, on l'a vu, d'une santé précaire. C'était un grand homme un peu voûté, au teint pâle, au regard noir, à l'abord austère. Extrêmement maniaque dans ses habitudes et son hygiène, il trouvera moyen de prolonger jusqu'à près de quatre-vingts ans une existence que les médecins avaient condamnée dès l'enfance. «Il avait été toute sa vie faible et délicat, dira de lui sa belle-sœur, mais on était accoutumé à le voir ainsi.»

Ce que son neveu a écrit de lui paraît très exact; on sent que le poète avait, comme il l'a dit, son image «bien gravée dans la tête». C'est que leurs deux natures étaient peu faites pour s'entendre. Dans le journal de sa sœur il apparaît comme un vieillard énergique mais redoutable, despotique, rigide, aigri par ses infirmités et sa vie manquée: «Toute sa vie, écrira Mme de Lamartine au lendemain de la mort de son beau-frère, il avait conservé l'influence d'un chef de famille, et rien ne s'était jamais décidé dans la mienne que par lui ou d'après lui; souvent cet empire avait contrarié nos vues et m'avait causé des peines sensibles». Ceci confirme entièrement ce que Lamartine a écrit dans les *Confidences.*

Lorsqu'il lui fallut à vingt-cinq ans renoncer à la carrière militaire et à l'espoir de fonder à son tour une famille, François-Louis se confina entièrement dans le monde de la pensée, afin d'occuper un peu son activité. Esprit méthodique et précis, les sciences eurent ses préférences: les mathématiques furent pour lui un véritable délassement, et il faut voir là l'origine de tous les froissements que nous constaterons plus tard entre l'oncle et le neveu.

La liste de ses œuvres en dit long; l'Académie de Mâcon, dont il fut dès 1806 un des membres les plus assidus, a recueilli dans ses bulletins annuels une cinquantaine de mémoires sur les sciences et l'agriculture dont il est l'auteur. On y remarque un *Examen du gleuco-œnomètre*, une *Dissertation sur une substance résineuse trouvée à Louhans*, un *Traité de l'oryctologie du Mâconnais*, dont le manuscrit subsiste encore à la bibliothèque de Mâcon, et d'importantes et minutieuses *Recherches sur les causes qui modifient ou altèrent la cohésion entre les parties de quelques substances*, sans compter d'innombrables communications sur la viticulture et l'élevage.

À sa mort, le *Journal de Saône-et-Loire* publia un long article nécrologique auquel il est permis d'accorder quelque valeur, puisque nous savons qu'il ne fut pas inspiré par sa famille[66], et dont le fragment suivant nous donne un portrait assez vivant de celui que Lamartine appelait «l'oncle terrible»:

«Animé d'un zèle ardent pour l'étude, M. de Lamartine s'était consacré dès sa jeunesse au culte des sciences et des lettres, mais il avait montré une prédilection particulière pour les sciences naturelles et les mathématiques. Uni par les liens de l'amitié et d'une estime mutuelle avec le savant abbé de Sigorgne[67], en relations avec plusieurs autres hommes célèbres de son temps, il trouva ses plus chères délices à parcourir le vaste champ du découvertes que lui présentait la science.

«Doué d'une imagination vive, brillante, et de cette fermeté de caractère qui triomphe des difficultés, aidé d'une mémoire facile qui lui rendait toujours présentes les connaissances solides qu'il avait acquises, il ne lui eut fallu qu'un peu moins de modestie pour se faire un nom très recommandable parmi les savants. Mais, loin de faire parade de son savoir, il le faisait servir à donner plus de charme à sa conversation, vive, piquante, et constamment assaisonnée de cette douce urbanité qui donne à la société tant de charmes.

«Sujet fidèle et attaché sincèrement au bien de son pays, on l'a vu, pendant le cours des troubles civils qui ont désolé notre patrie, toujours dévoué à la cause de la légitimité et de ne pas perdre de vue un seul instant les principes sur lesquels reposent l'ordre social et la prospérité de la France.»

Ainsi lorsque après un romantique parallèle de leurs deux caractères, Lamartine s'écriait: «Comment unir ce nombre et cette flamme[68]», il n'exagérait pas les contrastes de ces natures dissemblables qui ne parvinrent jamais à trouver un terrain d'entente.

À toutes ses qualités de méthode il joignait celle d'être un homme d'affaires entendu, comme le furent tous les Lamartine, sauf toutefois le dernier du nom qui sur ce point se trouvait desservi par son imagination. Le souci de son bien s'affirme dans les moindres lettres que nous ayons rencontrées de lui: très processif, il n'hésitait pas, dès qu'il croyait y avoir quelque intérêt, à soutenir ses revendications par de longs *factums* écrits avec amour.

Sa correspondance avec ses vignerons est curieuse à feuilleter: une fois de plus, elle confirme son esprit précis et méticuleux.

Lamartine ne l'aimait pas et cette antipathie se manifesta chaque fois qu'il avait à parler de lui. Cet oncle fut l'épouvantail de sa jeunesse, celui à qui, bien plus qu'au père toujours indulgent, il fallait cacher les fredaines, les menues dettes et les aventures: intransigeant, sévère et glacé, presque sans tendresse, il ne tolérait pas autour de lui la moindre infraction aux principes dans lesquels il avait été élevé et qu'il prétendait immuables.

La plupart du temps il contrecarrait opiniâtrement et avec sa méthode habituelle les beaux projets de son neveu dont il voulait ainsi maîtriser la débordante imagination; aux rêves vagues mais fiévreux d'étude et de littérature il opposera froidement les sciences qui, selon lui, donneront quelque maturité à ce cerveau vagabond.

Pour comprendre cette domination qu'il imposera jusqu'à sa mort, il ne faut pas oublier la situation particulière du jeune homme dans ce milieu imbu des traditions du sévère XVIIIe siècle: l'oncle ne verra en lui que l'unique héritier du nom et de la fortune et voudra, avant tout, le mûrir pour en faire le chef de famille avisé et prudent que chacun de ses ancêtres avait été avant lui. Tout le malentendu naîtra de là.

Dans le portrait de son oncle, Lamartine a pourtant commis une erreur lorsqu'il touche à ses idées politiques[69]; mais est-elle involontaire? Les *Confidences* furent écrites, on le sait, en pleine activité républicaine, à une époque où le chef de l'opposition n'était peut-être pas fâché de se découvrir des origines libérales.

La vérité est que, dès le début de la Révolution, François-Louis, que son neveu nous a montré condisciple et ami de Lafayette, n'eut même pas ce républicanisme de la première heure que connurent tant de gentilshommes séduits pas les idées nouvelles. Alors que dans une minute d'enthousiasme son frère Pierre signait avec le comte de Montrevel, le grand bailli d'épée Desbois, le marquis de Sainte-Huruge et d'autres seigneurs du Mâconnais la solennelle renonciation aux privilèges nobiliaires, lui, plus froid et plus raisonné, ne fut pas entraîné par l'imagination et la fièvre de l'époque. La gravité de la situation lui apparut entière et dès le premier jour il en envisagea les suites. Aussi, en mars 1789, au moment des émeutes qui accompagnèrent à Mâcon l'élection des députés aux États généraux, on le vit avec MM. de Chaintré, de Bordes, de Pierreclau et de Drée, défendre les intérêts de sa caste à l'Assemblée des trois ordres du bailliage et réclamer même la destitution du maire qui soutenait le Tiers, ce qui leur valut à tous d'être fort malmenés par la foule à l'issue de la réunion[70].

En 1792 enfin, lorsqu'il sentit l'orage prêt d'éclater, il se hâta d'émigrer; pour un temps très court, il est vrai, car trois mois plus tard il était de retour et se constituait prisonnier ne voulant sans doute pas abandonner son père et ses frères que sa fuite avait fait arrêter.

Par la suite, la Terreur et l'Empire l'abattirent sans le convaincre et jusqu'au bout il demeura fidèle à la légitimité. Lamartine a raconté qu'en 1805, lors du passage de Napoléon à Mâcon, celui-ci aurait fait appeler François-Louis pour lui offrir un siège de sénateur; mais Mme de Lamartine n'a rien noté de tel dans son journal où ce séjour de l'Empereur est pourtant longuement rapporté, ce qu'elle n'eût pas manqué de faire si l'entrevue avait eu lieu.

À soixante dix-sept ans, une fluxion de poitrine emporta François-Louis en quelques jours. Sa mort fit un véritable vide dans la petite société mâconnaise qui l'aimait et le respectait pour la droiture de sa vie et son érudition «presque universelle», dira sa belle-sœur; il laissait à tous le souvenir d'une intelligence remarquable et d'un causeur parfait, à qui l'on pardonnait son abord un peu farouche en mémoire d'une vie prématurément brisée. Il mourut à Montceau le 25 avril 1827, et par son testament il instituait comme ses légataires universels, sa nièce aînée Cécile, devenue Mme de Cessia, et son neveu Alphonse dont les triomphes poétiques et surtout les fonctions d'attaché d'ambassade qu'il occupait alors avaient fini par lui rendre confiance. Celui-ci, pourtant, ne se jugea pas satisfait, et fut même blessé par une clause de ces dernières volontés pourtant toutes en sa faveur; le 20 juin, il écrivait à l'abbé Dumont, son ami: «Le testament de mon oncle n'est pas sa plus belle œuvre, mais j'aime toujours à croire qu'elle n'a pas été faite à mauvaise intention. Si je n'avais qu'un neveu, seul chef survivant de ma famille, et qu'il ne déshonorât pas mon nom, je lui ferais l'honneur de le nommer au moins mon héritier universel à ses risques et périls. Trop penser nuit, les grandes routes sont les plus droites[71]». Ce fut là toute l'oraison funèbre qu'il prononça sur la tombe de cet oncle qu'il s'imaginait, sincèrement, avoir opprimé sa jeunesse.

Le cadet, l'abbé de Lamartine, était son vivant contraste. À dix-sept ans il était entré dans les ordres, un peu contre son gré, assure sa belle-sœur. Bientôt il prit goût pourtant à cette vie facile et sans soucis graves; cinq années de dures épreuves qu'il eut à subir de 1792 à 1797, lui donnèrent une souriante philosophie. En sage qu'il était, il se réfugia aussitôt dans sa belle retraite de Montculot, où il vécut paisiblement et loin des siens, parmi la nature qu'il aimait. Il demeura là jusqu'à sa mort avec une vieille intendante, travaillant en silence à de longs mémoires sur la théologie et la philosophie qui ne virent jamais le jour.

Dans sa vieillesse, il aimait à voir sa solitude animée par les vingt ans et la vivacité de son neveu, qu'il accueillit toujours avec bonté; Lamartine l'adorait, et chaque fois qu'il avait quelque dette à éteindre ou une petite fredaine à faire oublier, c'était à lui qu'il venait s'adresser. Montculot fut le refuge, «la Thébaïde», comme il l'appelait, de son adolescence. Il y fuyait l'oncle de Montceau et la contrainte de Milly; c'était la transition habituelle entre les plaisirs de Paris et la tristesse de sa campagne, et il y trouvait la paix et le recueillement sous les deux formes qu'il aimait le mieux: la nature et les livres; l'abbé avait réuni une admirable et riche bibliothèque où le neveu pouvait puiser sans contrôle, ce qui n'allait pas sans le changer un peu des habitudes de Mâcon et de Milly où sa mère se montrait très sévère. Lamartine, en mémoire des heures libres qu'il passa près de lui, en a laissé un portrait charmant: il aimait la bonhomie souriante de l'aimable vieillard demeuré toujours un peu frondeur, ce qui faisait dire ingénument à sa belle sœur: «L'abbé est très mal! pourvu, mon Dieu, qu'il pense à se confesser!» Une vieillesse accablée de cruelles infirmités n'altéra en rien sa belle humeur; frappé le 10 septembre 1817 d'une attaque d'apoplexie qui lui paralysa un bras et une jambe, il mourut à Montculot le 8 avril 1826, en brave homme qu'il avait toujours été, laissant sa fortune à son neveu préféré. Seul de tous les Lamartine, il avait compris la nature inquiète de l'adolescent et deviné l'immense travail de ce jeune cerveau.

Quant aux trois tantes, elles jouèrent un rôle assez effacé dans l'existence du poète. L'aînée, Sophie, connue dans la famille sous le nom de Mlle de Montceau, demeura toute sa vie faible d'esprit et vécut à Milly des jours sans histoire entre son frère et sa belle-sœur: «Je dois la regarder comme mon sixième enfant», dira d'elle Mme de Lamartine, qui fit preuve à son égard d'un patient dévouement. La cadette, Suzanne, Mme du Villard, habitait la petite propriété de Péroné. Dans sa jeunesse elle avait été élevée au chapitre de Salles et en avait gardé le titre de chanoinesse-comtesse. C'est là que la Révolution vint la surprendre pour la relever malgré elle de ses vœux. Son cœur était inépuisable, comme sa bourse, et bien souvent on la verra venir à l'aide du prodigue neveu. D'après Mme de Lamartine qui lui avait voué une profonde reconnaissance d'avoir facilité jadis son mariage, elle était de bon conseil, très bonne et très pieuse, mais d'une nature assez difficile. Pour Lamartine, qu'elle tira souvent un peu vivement de ses rêveries, elle avait un caractère «plus impétueux qu'une bourrasque». La dernière, Charlotte, Mlle de Lamartine, avait uni sa vie à celle de son frère aîné; c'était une pâle et mystique créature, qu'un amour malheureux avait attristée pour toujours. L'hiver, on se réunissait à Mâcon dans son vieux salon démodé, avec quelques parents et voisins; c'étaient ces fameuses soirées où Lamartine avouait plus tard avoir failli périr d'ennui et qui, selon son énergique expression, «auraient fait croupir l'eau même des cascades des Alpes». Les trois vieilles filles moururent, Sophie en 1819, Charlotte en 1823, Mme du Villard en 1842, celle-ci n'ayant jamais pardonné à son neveu la politique d'opposition qu'il menait contre les d'Orléans à qui, disait-elle, leur famille devait tant.

Le plus jeune des fils de Louis-François était Pierre Lamartine, le chevalier de Pratz. On lui avait donné ce titre dans sa jeunesse, pour le distinguer de son frère aîné et, à Mâcon, il n'était guère connu que sous le nom de M. de Pratz. De là l'erreur si commune que le nom véritable du poète était de Pratz et non de Lamartine.

Nous sommes malheureusement très peu renseignés sur lui. À travers même le journal de sa femme qui l'adore, il apparaît presque au second plan, se reposant sur elle de tous les soins du ménage et des tracas quotidiens, heureux, semble-t-il, d'avoir abdiqué entre les mains de son frère ses droits de chef de famille avec leurs responsabilités. Dans les *Confidences*, son fils en a parlé de façon respectueuse mais quelque peu vague; le portrait, d'allure militaire, est joliment campé, mais n'est pas tout à fait d'accord avec ce que nous savons de lui. Ce qu'il en a dit de plus juste est qu'il fut «le modèle parfait du gentilhomme de province, père de famille, chasseur, cultivateur». De même, quelqu'un qui l'a beaucoup connu, écrit qu'il était «le type parfait de l'ancien gentilhomme; très aimé de sa femme, qui le craignait un peu; il lui survécut et la regretta jusqu'à son dernier jour[72]».

Comme il était extrêmement aimé et respecté dans la région pour sa droiture, on avait voulu souvent le diriger vers la politique, mais il s'en gardait, paraît-il, comme de la source de tous les maux. Il consentit seulement à accepter un siège de conseiller général, qu'il occupa de 1803 à 1813. Pour le reste, ses scrupules monarchistes ne lui permirent jamais de passer outre, et sa femme a rapporté à ce sujet l'anecdote suivante qui date de 1809.

Vivant-Denon, l'orientaliste qui avait suivi Bonaparte en Égypte, se trouvait alors à Mâcon où il présidait le collège électoral. Il était lié avec François-Louis et, au cours d'une visite qu'il lui fit, il rencontra le chevalier de Pratz. «Il traita mon mari avec beaucoup de distinction, ajoute Mme de Lamartine; il en a fait le premier scrutateur et, s'il avait voulu, l'aurait sûrement fait nommer législateur. Mais il craint, s'il accepte cette place, de se trouver dans des circonstances délicates où la conscience et la fortune ne pourraient peut-être pas s'accorder. Il aime mieux ne pas s'exposer à cette tentation, ce qui est assurément très sage.»

Jusqu'à trente-huit ans, il avait servi dans l'armée; après son mariage, il se retira à Milly dont il ne bougea plus jusqu'à sa mort, si ce n'est à partir de 1805 pour aller passer l'hiver à Mâcon. C'était un bel homme, robuste et sain, qui ne dérogea pas à cette étonnante vitalité des Lamartine puisqu'il mourut presque centenaire. Bourru d'apparence, il alliait des manières un peu rudes à une grande simplicité et à un cœur excellent. Fixé à la campagne d'abord par nécessité, il finit par s'y trouver bien et perdit vite le goût des villes; pour lui faire acheter une maison à Mâcon, sa femme fut même obligée de plaider la cause de leurs filles qui, devenues grandes, avaient besoin d'une éducation moins villageoise. Jamais, on ne put vaincre dans sa famille cette horreur des cités bruyantes; de 1792 à 1844, date de sa mort, il ne consentit qu'une fois à s'arracher à sa chère solitude pour aller en 1814 présenter à Louis XVIII les hommages de la ville et poursuivre avec opiniâtreté la croix de Saint-Louis, unique ambition de cette âme fidèle aux Bourbons. Après quoi, satisfait, il rentra à Milly sans vouloir jamais retourner à Paris par la suite, même au plus fort des triomphes poétiques et politiques de son fils.

Au fond, il aimait la vie simple, la campagne et ses plaisirs, chasse, pêche, cheval, se levait et se couchait tôt, lisait peu. Son seul souci fut l'entretien et l'embellissement de ses vignes, il courait lui-même les marchés vendre son vin et ses récoltes et choisir soigneusement ses bestiaux. Pour le reste, il s'en remettait entièrement à sa femme et à son frère, surtout en ce qui concernait son fils dont l'âme tourmentée et insatisfaite lui échappait complètement. On chercherait en vain quelle influence il put avoir sur les destinées et l'éducation du poète. Volontairement, il se tint toujours à l'écart, se contenta d'approuver les décisions du chef de famille, lassé, surtout après 1810, de cette détresse morale et de cette nature hésitante qui cadrait si mal avec son propre tempérament et dont il ne comprendra que beaucoup plus tard les mobiles secrets. Mais la mère sera là pour atténuer les froissements entre ces deux caractères si différents.

CHAPITRE II

LA MÈRE

En oubliant l'image que Lamartine a tracée de sa mère et en ne l'étudiant qu'à travers son journal, ses lettres et les témoignages de ceux qui l'ont connue, on peut arriver à préciser cette figure que le poète, dans son pieux amour, s'est appliqué à idéaliser et à rendre presque immatérielle.

Mme de Lamartine fut une femme simple, bonne, aimante, et profondément religieuse; sa vie se sépare en quatre périodes inégalement remplies de joies et de douleurs. La première s'étend de sa jeunesse à son mariage; la seconde de son mariage à la majorité de son fils; la troisième de 1811 aux *Méditations*; la dernière de 1820 à sa mort survenue en 1829. Ainsi, chacune de ces étapes est liée à quelque grand événement de la vie de son fils: c'est que son premier-né demeura toujours le plus aimé; elle le voyait différent des autres et réservait pour lui le meilleur de sa tendresse.

Elle était née à Lyon le 8 novembre 1770, et sa première enfance avait été confiée à sa grand'mère paternelle, car son père, en incessantes tournées d'inspections, et sa mère, retenue au Palais-Royal par ses fonctions, n'habitèrent Lyon qu'à de rares intervalles. À dix ans, Mme Des Roys la garda quelque temps près d'elle à Paris où la petite Alix devint la compagne de jeux du futur Louis-Philippe; puis quatre ans plus tard, redoutant qu'elle fût trop mêlée au monde de la cour, elle obtint du duc d'Orléans des lettres d'admission pour elle au chapitre noble de Saint-Martin de Salles, en Beaujolais, où sa fille aînée, Césarine, se trouvait déjà. Salles, situé à quelques kilomètres de Villefranche-sur-Saône, fut primitivement un prieuré dépendant de l'abbaye de Cluny. À la fin du XIIIe siècle des Bénédictins s'y installèrent, et en 1782 le prieuré fut, par lettres royales, déclaré chapitre noble, c'est-à-dire que, pour y être admises, les religieuses devaient faire preuves d'au moins quatre quartiers du côté maternel et de six du côté paternel.

Lorsque Mlle Des Roys entra à Salles, le couvent était devenu une de ces institutions mi-mondaines, mi-religieuses de l'ancien régime, où les jeunes filles achevaient leur éducation. La vie qu'on y menait n'avait rien d'austère, puisque chaque élève y possédait une petite habitation et un jardinet qu'elle partageait avec une «mère». D'ailleurs Alix Des Roys, qui demeura à Salles de 1784 à 1789, venait chaque année passer deux mois à Paris avec ses parents.

Il nous reste deux portraits d'elle pendant ce séjour au couvent. L'un est une miniature qui la représente dans l'austère vêtement noir des chanoinesses-comtesses, avec la fanchon de soie noire, la guimpe de broderie blanche et la croix d'émail épinglée au corsage[73]. Les cheveux sont d'un blond cendré, les yeux noirs, la bouche fine, le menton un peu gros, et toute l'expression du visage reflète une indicible et inquiétante mélancolie. L'on songe alors à ce joli passage de son journal écrit trente ans plus tard, un jour où, conduisant son fils à Lyon, elle passa devant l'ancien couvent de sa jeunesse:

J'éprouvais encore de douces émotions, dit-elle, en revoyant ce charmant Beaujolais où j'ai passé une jeunesse si heureuse; mille souvenirs se succédaient rapidement dans ma tête ou plutôt dans mon cœur, car c'est là que presque tous les moments de ce temps sont gravés. Je me voyais, de quinze à vingt ans, simple, jolie, fraîche, plaisant à tout le monde...

L'autre portrait est une longue épître en vers du chevalier de Bonnard, poète du duc de Chartres, et qui précéda Mme de Genlis comme gouverneur des enfants d'Orléans; elle fut adressée à Mme Des Roys, dont il fréquentait le petit cercle et qu'il avait connue chez Buffon, pour célébrer la grâce et les mérites de ses deux chanoinesses. Comme tous les vers de Bonnard, ceux-ci sont médiocres, mais ils valent d'être cités pour la spirituelle et vivante image qu'ils donnent de la jeune fille à quinze ans:

Quant à notre autre chanoinesse
Que nous nommons Madame Alix,
Elle a sans doute aussi son prix.
Mais quoiqu'elle entende la messe
Et chante l'office assez bien,
Qu'elle soit de discret maintien
Et même qu'elle aille à confesse,
Ô mère! tenez pour certain
Qu'elle a le goût un peu mondain.
À quinze ans elle était jolie,
Et spirituelle et polie,
S'exprimait avec agrément
Quoiqu'un peu trop rapidement;
Était tout yeux et tout oreille,
Remarquait, citait à merveille,
Marchait, dansait légèrement,
Aimait la bonne compagnie,
La musique, la comédie,
Soutenait, par le clavecin,
Un son de voix très argentin,
Jugeait les Beaulard, les Bertin,
Connaissait les moindres nuances
Et l'effet et les différences
Des poufs, des chapeaux de satin;
...D'où je conclus, à juste titre,
Qu'elle quittera son chapitre

Tôt ou tard, pour prendre un époux,
Beau, jeune, riche, aimable et doux[74].

Le portrait est enjoué et on le sent fidèle; pourtant, il ne faudrait pas le prendre à la lettre et l'on peut se défier de l'esprit superficiel du chevalier de Bonnard qui ne pouvait juger la jeune fille que sur l'apparence de la vie brillante menée au Palais-Royal. D'après lui, elle était un peu coquette et très mondaine: coquette, c'était une des exigences de son âge; sans doute aussi aimait-elle le monde; toute sa vie même elle le regrettera et le confessera souvent dans son journal au retour des petits bals où elle menait ses filles; Mme Delahante nous apprend aussi que «Mme de Prat tout en aimant le monde secrètement, vivait très sédentaire, craignant ses belles-sœurs et son beau-frère qui, étant âgés et sévères, avaient conservé toutes les idées d'étiquette du siècle passé». Ceci semble donc acquis, de même que les talents prêtés par Bonnard à Mlle Des Roys.

Pour compléter cette étude de jeune fille, il reste encore à pénétrer dans sa pensée et, là, on peut voir qu'à toutes ses qualités extérieures elle joignait un esprit déjà singulièrement mûri et réfléchi. Dès l'âge de quinze ans, elle avait pris l'habitude de tenir un journal de sa vie; celui que nous possédons ne commence qu'en 1801, mais un fragment de ce premier début a été conservé précieusement par elle comme la ligne de conduite de son existence. Intercalé dans l'un des douze petits cahiers, il est daté de mars 1786, et voici ce qu'on y lit:

«...Il n'y a, après tout, qu'une *seule chose* de nécessaire: il n'est pas utile, en effet, que je me procure de la dissipation, que je prenne du plaisir, tout cela passe et ne fait pas le bonheur. Il n'est pas nécessaire que je plaise au monde, que je sois aimée et recherchée; tout cela est une source de périls en tous genres, et les personnes qui se livrent le plus au monde et que le monde lui-même fête le plus sont souvent par la suite les plus malheureuses...»

Toute la vie de Mme de Lamartine peut se résumer par ces quelques lignes, écrites à quinze ans; jusqu'à sa mort, ce fut une lutte perpétuelle et inquiète contre elle-même, où elle s'efforçait de réprimer ce qu'elle appelait «des choses inutiles», les tendances qui lui semblaient de nature à éloigner le but qu'elle s'était de tout temps fixé: la simplicité et la vérité.

Tel était l'état d'âme de la jeune fille au moment où elle abordait le mariage que lui avait prédit malicieusement Bonnard. On en connaît l'histoire romanesque.

À Salles, elle s'était liée avec Suzanne de Lamartine, comme elle pensionnaire du couvent. Le chevalier de Pratz qui, de Montceau ou de Mâcon, venait souvent voir sa sœur pendant ses congés, connut ainsi Mlle Des Roys, car le règlement n'interdisait pas les visites. Tous deux se plurent et le chevalier que l'on songeait à marier sollicita l'autorisation de sa famille. Le père, tout d'abord refusa, trouvant la dot insuffisante. Mais il avait compté sans le hasard et la persévérance des jeunes gens. Le 6 octobre 1789, jour où les Parisiens ramenèrent la famille royale dans sa capitale, Mme Des Roys et sa fille se trouvaient à Chatou. Devant la foule ameutée, et les nouvelles qui leur parvinrent, les deux femmes prises de peur renoncèrent à regagner Paris et se décidèrent à rentrer à Lyon. En cours de route elles furent obligées, à la suite d'un accident de voiture que la jeune fille dut bénir toute sa vie, de s'arrêter à Mâcon. Suzanne de Lamartine prévenue, résolut alors d'arranger les choses qui traînaient depuis un an et annonça à son père que Mme Des Roys était de passage et apportait des nouvelles graves de Paris. Le moyen, pour François-Louis, de ne pas offrir une hospitalité provisoire aux deux femmes? Elles demeurèrent chez lui vingt-quatre heures et, à leur départ, séduit sans doute par le charme de la jeune fille, il finit, comme dans un roman, par accorder son consentement au mariage.

Le 4 janvier 1790 enfin, le contrat fut signé à Lyon, et l'on y voit que les jeunes époux étaient plus riches de bonheur que d'argent: le chevalier avait l'usufruit de Milly jusqu'à la mort de son père, et c'était tout. Quant à Mlle Des Roys elle apportait, outre quelques bijoux et meubles, la somme de 50 000 francs, dont 20 000 assurés par un de ses oncles, et qui n'étaient pas encore versés en 1810 à la mort de celui-ci. Ainsi, les revenus du jeune ménage se montaient à une douzaine de mille francs, assez aléatoires d'ailleurs, puisqu'ils étaient uniquement basés sur les récoltes de Milly.

Le mariage fut célébré le 7 janvier 1790; aussitôt après, la jeune femme vint s'établir à Milly et de cette date jusqu'en 1808, elle connut une existence très différente.

La jeune mondaine d'autrefois habite maintenant un village obscur et sans horizon. Sa maison est petite, sa vie plus que simple, sa fortune médiocre. Deux ans à peine après son mariage, son mari, ses beaux-frères et ses belles-sœurs sont emprisonnés et elle reste isolée avec deux enfants au berceau, près de ses beaux-parents. Puis, le calme rétabli et le chevalier rendu à la liberté, elle regagne avec lui leur petite campagne où ils s'installent définitivement.

Dès lors, elle devient entièrement la mère. Ses parents sont loin, les uns fidèlement attachés à la fortune des d'Orléans qu'ils accompagnent en exil, les autres réfugiés en Angleterre où ils végètent. Elle vivra seule à Milly, presque sans nouvelles d'eux. Son unique occupation va devenir l'éducation de ses enfants.

C'est dans ce rôle, surtout, qu'il est attachant de la suivre. De 1800 à 1808, son journal reflète profondément ses détresses, ses défaillances morales, et une analyse aiguë d'elle-même qu'elle pousse à un degré incroyable. Chaque soir, elle se scrute impitoyablement, examine et résume sa vie quotidienne, les soucis de la journée, et en tire un enseignement pour l'avenir, sans pouvoir toutefois être jamais satisfaite de ses actes qu'elle trouve perpétuellement imparfaits et au-dessous de sa tâche. Chez elle, les accalmies sont rares et, même dans les périodes d'apaisement et d'équilibre, elle les environne toujours de l'inquiète restriction qu'elle est trop heureuse et ne mérite pas son bonheur.

À partir de 1810 sa vie change encore et commence alors pour elle une époque d'amertumes, de tristesses et de découragements encore plus profonds. Ses enfants la préoccupent: ses quatre filles, d'abord, qu'elle mariera toutes à leur temps et heureusement, mais surtout ce fils, son préféré, dont l'oisiveté, dit-elle, la «tue». L'existence vide qu'il traîne de Mâcon à Paris, sa fièvre, sa sensibilité, qu'il tient d'elle au fond, sont autant de tortures pour ce cœur de mère qui ne demande qu'à être fière de son fils. Son orgueil maternel souffre de voir la vie de son enfant lui échapper, et elle pleure de n'être plus comme autrefois sa confidente, elle qui jadis écrivait à propos de lui: «La chose la plus importante dans l'éducation est d'inspirer une grande confiance à ses enfants et il faut pour cela les écouter toujours avec attention et l'air de l'intérêt, quelle que soit la chose dont ils veulent vous entretenir, parce qu'alors ils prennent l'habitude de vous parler de tout ce qui les occupe».

Aujourd'hui, il faut deviner plutôt qu'apprendre de lui, les pensées qui le hantent; il faut aussi brûler en cachette ses mauvais livres, ses mauvais vers, qui rappellent le malheureux frère qui s'est perdu ainsi, voir grossir ses dettes qu'elle essaye d'éteindre en réduisant ses humbles dépenses. Car trop souvent elle sera forcée d'avoir recours à l'oncle et aux tantes qui la trouveront faible et le lui diront durement. Toutes les petites ruses qu'il mettra en œuvre pour lui cacher ses fredaines et ses aventures l'accableront sans lasser sa tendresse. «Il me tourmente bien par son caractère inquiet, dira-t-elle un jour, mais je tâche de le ramener tout doucement; je supporte, c'est ma tâche actuelle.»

Malgré tout, sa bonté pour lui demeurera inépuisable, comme sa patience. En 1811, à la suite d'une amourette dont il s'exagéra la valeur, les Lamartine furent obligés de le faire voyager; il se trouva un jour sans ressources à Livourne, ayant mangé en un mois ce qu'on lui avait donné pour six. Les oncles et les tantes qui ont déjà ouvert leur bourse, restent sourds, cette fois, aux lettres suppliantes, et décident le retour. Mais il est si heureux là-bas! ses lettres sont si joyeuses et si tendres! «Il serait trop cruel, écrit-elle alors, de ne pas le laisser aller jusqu'à Rome dont il est si près», et elle lui envoie de quoi continuer son voyage.

Mme Delahante, enfant à cette époque, mais qui quarante ans plus tard ne pouvait rappeler son souvenir sans émotion, nous a laissé d'elle une image très simple et très émouvante:

«Mme de Prat, âgée de quarante-cinq ans, n'avait jamais été d'une beauté remarquable, mais le charme qui était en elle tenait à une grande distinction et à une expression très fine, très spirituelle, en même temps que très douce et d'une bonté parfaite. Pour faire le portrait de sa figure il faudrait, avant tout, faire le portrait de son âme, car c'était de l'âme que venait chez elle le charme extérieur. Je crois que toutes les vertus solides et les qualités aimables étaient réunies en cette charmante femme; elle était pieuse comme un ange et d'une piété indulgente et éclairée qui vous gagnait.

«Elle était sans cesse occupée des pauvres, et elle les visitait soit à Mâcon, soit à Milly. Son zèle ne connaissait pas de bornes, et, quand l'argent lui manquait (ce qui lui arrivait parfois, car sa fortune était plus que médiocre, et sa famille très nombreuse), elle cherchait à le remplacer par de douces paroles, de bons soins et de bons conseils.

«Elle élevait elle-même ses cinq filles, elle s'occupait extrêmement de son mari et de son ménage, elle aimait beaucoup le monde, ou plutôt la société; elle était aimable pour tous, et quoiqu'elle ne pût recevoir qu'avec la plus extrême simplicité, elle fut toujours à la tête de la société de Mâcon et y exerça une influence qui ne fut pas entièrement remplacée.

«Son esprit était à la fois fin et élevé et quoiqu'elle eût passé sa vie à Mâcon, entourée de toutes les petites passions de province, elle demeura au-dessus de tout pour la noblesse et l'extrême délicatesse de son cœur comme par la distinction de son esprit et de ses manières. Sa vertu, je l'ai dit, n'avait rien de sévère et je n'en veux citer qu'un exemple: elle ne se permettait jamais la moindre médisance, et souffrait mort et passion quand elle entendait dire la plus petite chose qui pût blesser le prochain; elle était gaie, cependant, et ne pouvait s'empêcher de sourire à un propos spirituel et quelque peu malin. Sa charité et sa gaieté se livraient alors un combat qui se lisait sur sa physionomie.

«Mme de Prat était de taille moyenne; elle était mince, sa taille était souple, sa figure longue et un peu pâle, ses yeux très près du nez et petits, mais vifs et doux, son nez droit et ses lèvres fort minces. Son sourire était très gracieux. Je l'ai toujours vue mise de la même manière: elle ne portait que des robes de taffetas puce.»

À partir de 1820 et jusqu'à sa mort, Mme de Lamartine connut d'autres joies et d'autres chagrins: ce fut d'abord la gloire soudaine de son fils, son mariage inespéré, qui marque la fin de cette période de désœuvrement dont elle souffrit tant. «Il se dit plus heureux qu'un roi, écrira-t-elle un jour, et certes, ce n'est pas un langage auquel je suis accoutumée de sa part.» Elle avoue aussi avoir ressenti «un grand mouvement de vanité» en lisant dans les journaux le nom de son fils parmi les personnages illustres de passage à Aix. Puis ce fut la naissance de son petit-fils qui lui causa une immense joie: «On dit que cet enfant me ressemble, dira-t-elle avec orgueil; alors, je me l'imagine comme était son père...».

Bientôt, pourtant, les soucis et les deuils l'accablèrent de nouveau. Son fils l'inquiétait toujours; «cette ardeur, cette inquiétude de tête», comme elle appelle dans son simple langage la fièvre poétique qui le dévore, ne font que la désoler. Presque coup sur coup elle eut à pleurer la mort de deux de ses filles, Mme de Vignet et Mme de Montherot, et celle de son petit-fils dont elle avait accueilli la naissance avec tant de bonheur. Puis, ses deux belles-sœurs et ses deux beaux-frères disparurent à leur tour. De plus en plus elle se sentait isolée à Milly.

La dernière joie que connut cet admirable cœur de mère fut de paraître au bras de son fils à l'Abbaye-au-Bois, dans les salons de Mme Récamier où, en juillet 1829, Chateaubriand lut des fragments de son *Moïse*; et voici ce qu'au retour elle écrivait dans son journal:

«Je suis de plus en plus fière et heureuse des admirables qualités d'Alphonse, malgré les inquiétudes si fondées que j'ai eues sur son compte. Sa réputation s'agrandit tous les jours, mais ce n'est pas de son esprit que je dois le glorifier davantage, c'est de la bonne direction qu'il lui a donnée, c'est de son excellent cœur, c'est de la beauté de son âme qui se manifeste dans toutes les occasions.» Ainsi, ce qui la frappa au cours de cette soirée, fut le murmure d'admiration sympathique qui avait accueilli l'entrée de son fils, et tout le reste lui parut secondaire:

«Il y avait beaucoup de gens célèbres que je fus bien aise de voir, et surtout M. de Chateaubriand lui-même que je ne connaissais pas; il me parut vieux et faible, et les ambitions de ce monde sont bien mensongères. Sa tragédie est de peu d'intérêt. Mme Récamier a encore de la grâce et quelques souvenirs de beauté.»

Comme par un étrange pressentiment de sa fin prochaine, les dernières lignes qu'elle ait tracées dans son journal semblent le clore tout naturellement. Le 22 octobre 1829 elle écrivait de Milly:

«Je suis seule ici, et cependant je ne m'ennuie pas trop. Je me reproche au contraire de prendre encore beaucoup trop d'intérêt aux choses de ce monde et d'avoir peut-être plus de dissipation d'esprit en vieillissant que dans ma jeunesse, et pourtant je vieillis beaucoup! Que Dieu ait pitié de moi et me rende ce que je dois être. J'aime à lui dire un verset d'un psaume qui me touche: Seigneur, vous êtes mon espérance dès ma jeunesse, ne me rejettez pas dans le temps de ma vieillesse, ne m'abandonnez pas lorsque les forces me manqueront.»

Elle mourut moins d'un mois après, le 16 novembre, et cette femme angélique en qui tout était douceur et sentiment eut une fin atroce: elle fut brûlée vive dans un bain qu'elle voulut réchauffer, surprise par le jet bouillant qu'elle n'eut pas le temps d'arrêter et reçut en pleine poitrine. Elle trouva encore la force de sortir de l'eau, puis tomba à terre, évanouie. Pendant les trois jours que dura son affreuse agonie elle ne reprit pas connaissance.

Lamartine et son père étaient tous deux absents de Milly. À leur retour, elle reposait déjà dans le cimetière de Mâcon, mais comme son fils voulait l'avoir près de lui dans la petite chapelle de Saint-Point, il obtint de la faire exhumer.

La douleur du poète fut immense. Plus tard, lorsqu'il écrira ses souvenirs, la mémoire de sa mère en illuminera toutes les pages. Mais à force d'idéaliser cette belle figure il a fini, d'abord par en donner une image assez inexacte, et surtout par persuader à lui-même et à ses lecteurs qu'elle fut avec Elvire l'une des formes vivantes de son génie.

Pourtant, si l'une eut sur son développement et son inspiration une profonde influence, il serait peu conforme à la vérité de croire que sa mère tint le même rôle dans sa vie. Elle fut la mère, dans tout ce que ce mot peut comporter d'amour, de tendresse et d'orgueil; tous deux s'adoraient, mais—et le journal de Mme de Lamartine en est la meilleure preuve—la période de l'adolescence du poète qui s'étend de 1808 à 1820, période d'isolement et de détresse morale, échappe complètement à sa mère qui s'en désole et pleure en silence de le voir sombre et renfermé, cachant jalousement son existence intérieure.

Elle ne participera en rien à cette solitude morale, à cette laborieuse genèse qui précède les *Méditations* sauf pour ce que son instinct maternel lui fera parfois deviner; un jour où elle le verra en proie à ce «feu divin» qu'il a décrit dans l'*Enthousiasme*, elle écrira: «Je crains pour lui cette inquiétude d'esprit qui le transporte toujours dans un avenir idéal et lui ôte la paisible jouissance du présent et de ceux avec qui il est», mais le plus souvent elle se désespérera de son apparente stérilité sans que son âme aimante et simple saisisse grand'chose des aspirations confuses, et des détresses incurables qu'il porte en lui. Elle se contentera de noter ce que son cœur de mère appellera des «vivacités de caractère», des «mélancolies de jeunesses», elle verra avec angoisse cette «vie de dissipation», ces gaspillages inutiles d'énergie, et s'épuisera en supplications pour faire mener à son fils une existence régulière et occupée, celle dont il est alors le plus incapable.

Plus tard Lamartine le regretta et en souffrit; avec amour, il s'efforcera alors dans ses souvenirs, ses commentaires et sa version du *Manuscrit de ma mère* de lui faire jouer, dans son adolescence, un rôle qu'elle n'a jamais tenu. Pieuse invention que cette lecture à Milly de l'*Isolement*, du *Désespoir* ou de l'*Épître à Byron*! Mme de Lamartine, qui en 1808 notait avec un peu d'orgueil les premiers essais poétiques de son fils, n'eût pas manqué d'en transcrire le récit, surtout si, comme il l'a prétendu, la lecture du *Désespoir* eut été entre eux la cause d'une grave discussion. Bien mieux, ce fut par une étrangère qu'elle entendit parler pour la première fois des futures *Méditations*: le 9 juin 1819, en effet, Mme de l'Arche, cousine de Mme Haste sa nièce—c'est la fameuse «princesse italienne» qui soigna Lamartine à Paris pendant sa maladie,—était de passage à Mâcon. «*Elle m'a apporté des vers d'Alphonse*, dit Mme de Lamartine, *qui sont des stances religieuses et des Méditations mélancoliques; il y a vraiment de très belles choses.*» Une autre courte mention le 6 janvier 1820 où on lit: «*Alphonse va faire imprimer des vers; il en a fait vraiment de très beaux et sur de beaux sujets très religieux*». C'est tout; à Milly l'apparition des *Méditations* passa inaperçue, car la mère avait alors en tête d'autres soucis plus sérieux: le mariage de son fils et son établissement.

Mais ce que Lamartine tient incontestablement de sa mère, c'est cette âme inquiète et tourmentée, cette sensibilité rare que l'on retrouve à chaque page du *Journal intime*; ce sont surtout les germes de sa religion profonde et vivace qui s'épanouiront ensuite à Belley. Au cours de sa vie orageuse, sa foi subira bien des assauts et connaîtra bien des défaillances, mais il y reviendra toujours comme à l'unique consolation. De bonne heure, la croyance de Mme de Lamartine avait marqué des traces ineffaçables dans l'âme de l'enfant, et l'on peut dire que le souffle chrétien qui anime toute sa poésie est l'œuvre absolue et entière de sa mère.

Elle conservera aussi une influence indiscutable sur ses actes. La vénération dont il l'entourait le fit souvent se courber, en pleine maturité, devant les avis qu'elle lui donnait[75]. Tout ce qui touchait à son génie qu'elle voulait purement chrétien, l'affectait profondément: «Alphonse va faire imprimer des vers, écrit-elle le 10 mars 1825, c'est une suite de *Childe-Harold*, espèce de poème de lord Byron. Ce sujet m'inquiétait et m'inquiète encore beaucoup; j'ai dit ce que je croyais devoir dire, car je ne suis pas là pour louer, mais pour avertir». Jamais, de l'avis de ceux qui les connurent tous deux, Lamartine n'eût osé commencer du vivant de sa mère sa politique d'opposition contre le gouvernement de Juillet car elle gardait aux d'Orléans un respect profond. En 1825, lors du retentissement causé par deux malencontreux vers du *Chant du Sacre*, elle écrira sévèrement à son fils et ne désarmera que devant les explications, assez confuses, semble-t-il, qu'il lui donna[76]. De même, Mme Delahante est persuadée que *Jocelyn* et *la Chute d'un Ange* auraient subi d'importants remaniements si la mère du poète avait été là[77].

Tel est le milieu où va croître et se développer l'âme de l'enfant, plus souvent arrêtée et contrariée, à vrai dire, qu'encouragée et comprise. Chacune des figures que nous venons d'esquisser jouera un rôle dans sa jeunesse, influera plus ou moins sur sa pensée et sur ses actes. Mais conclure de là, comme il l'a laissé entendre lui-même, que certaines d'entre elles, «l'oncle terrible» surtout, par leur contrainte et leur mainmise sur son existence ont en quelque sorte retardé l'éclosion des *Méditations* serait une grave erreur. Lamartine fut maître de sa vie à dix-huit ans, et libre de l'organiser à sa guise pourvu qu'il prît une occupation. Sans doute, les Lamartine n'encourageront nullement sa vocation poétique et même la contrarieront parfois; mais on connaît leurs raisons, et d'ailleurs lui-même en fut un peu responsable, car de bonne heure il se réfugia dans la solitude morale, hautain et découragé.

Cette adolescence difficile servit son génie: l'amertume, les heurts, stimulent Lamartine. Ses *Méditations*, écrites fiévreusement, en pleine crise, au moment des pires froissements avec sa famille, des maladies et des difficultés qui l'accablent, en sont le meilleur témoignage. De 1820 à 1830, alors qu'il coule on paix des jours heureux, son œuvre poétique s'en ressent: les *Nouvelles Méditations*—à part quelques pièces antérieures à 1820—n'égalent pas les premières: la *Mort de Socrate*, le *Chant du Sacre* ne sont que des œuvres facilement rimées et dont lui-même ne pensait pas grand'chose. Les *Harmonies* même, écrites au jour le jour de 1825 à 1830, sont d'une autre manière, adoucie et plus paisible. Il faut remonter jusqu'à *Némésis*, plus loin encore à l'*Ode au comte d'Orsay*, à *la Vigne et la Maison* et à cette admirable *Invocation à la Croix* qui ne fut publiée qu'après sa mort pour retrouver l'inspiration mélancolique, désespérée et hautaine des premières *Méditations*.

CHAPITRE III

LES LAMARTINE PENDANT LA TERREUR.

LES PREMIÈRES ANNÉES.

À s'en tenir au seul témoignage de Lamartine, il serait difficile de connaître le véritable lieu de sa naissance, puisque dans ses poèmes et ses souvenirs il a tour à tour indiqué Saint-Point, Mâcon et Milly comme son berceau[78]. Toutefois, grâce à son acte de baptême, on sait qu'il naquit à Mâcon le 10 octobre 1790, fut baptisé le lendemain par le curé de Saint-Pierre, et eut pour parrain et marraine son grand-père de Lamartine, malade et représenté par son fils aîné, et sa grand'mère maternelle Mme Des Roys. Mme de Lamartine nous apprend que quelques heures après sa naissance l'enfant fut porté au couvent des Ursulines où la supérieure, Mme de Luzy, une bonne vieille grand'tante, présenta l'enfant à la chapelle de la Vierge, et que toute la communauté pria pour lui.

Des doutes se sont élevés au sujet de la maison natale du poète[79]: en effet, les Lamartine possédaient alors deux immeubles à Mâcon. L'un, l'hôtel familial, était situé au numéro 3 de l'actuelle rue Bauderon-de-Senecé, au XVIIIe siècle rue de la Croix-Saint-Girard, et sous la Révolution rue Solon; l'autre occupait le numéro 18 de la rue des Ursulines, devenue pendant la Terreur rue Jean-Jacques-Rousseau. Dans laquelle de ces deux maisons Lamartine vit il le jour? La question en soi est de peu d'importance, car toutes deux ne formaient en réalité qu'un même immeuble compris dans l'angle formé par les deux rues à leur intersection, et il existait entre elles une cour, un passage et des jardins communs. Néanmoins, la maison de la rue des Ursulines est bien la maison natale du poète et il existe deux témoignages qui devraient clore la discussion.

Le 21 décembre 1819, Mme de Lamartine a noté dans son journal que son mari, gêné par une mauvaise récolte, songeait à vendre la maison qu'ils habitaient à Mâcon et à vivre désormais uniquement à Milly, *ou peut-être*, ajouta-t-elle, *dans l'ancienne petite maison que nous avons habitée les premiers temps de notre mariage et qui est à l'abbé de Lamartine.* Cette maison est bien celle de la rue des Ursulines: nous savons en effet, par le testament de Louis-François de Lamartine, qu'elle échut à l'abbé; celui-ci, d'ailleurs, n'y logea jamais et la louait ordinairement. Le poète la trouva en 1826 dans sa succession, et la vendit aussitôt car elle était inhabitable. Enfin, on lit dans la déclaration d'immeubles faite en décembre 1790 par Louis-François au cadastre de Mâcon et parmi l'énumération de ses propriétés, *une maison rue des Ursulines occupée par M. de Pra*[80]. Or, si le chevalier demeurait en décembre 1790 rue des Ursulines, il est fort probable qu'il y habitait déjà en octobre et qu'il avait reçu à son mariage la jouissance de cet immeuble jusqu'à la mort de son père, quoique son contrat n'en fasse pas mention. Il semble donc acquis que Lamartine vint au monde, non pas dans l'hôtel de la rue Bauderon-de-Senecé, mais dans la petite maison de la rue des Ursulines.

À sa naissance, l'enfant était d'une constitution délicate qui donna, paraît-il, des inquiétudes à sa famille. Il a raconté plus tard comment sa mère, pour le changer d'air, alla passer avec lui l'été de 1791 à Lausanne. Nous n'avons sur ce séjour que son seul témoignage et le *Journal intime* n'en rappelle aucun souvenir. Pourtant, il demeure très vraisemblable, car la plupart des familles du pays profitaient souvent de l'été pour se rendre en Suisse dont la frontière n'était éloignée que de quelques journées. Quant aux détails abondants et pittoresques dont il a nourri son récit, nous sommes obligés de lui en faire crédit: à l'en croire, une intimité très grande existait entre les Lamartine et le vieil historien anglais Gibbon que Mlle Des Roys aurait connu dans sa jeunesse au Palais-Royal; une haie de jasmin séparait seule les deux jardins et, dira-t-il, en parlant de Gibbon, «ses genoux étaient devenus mon berceau[81]».

Mais si l'historien était bien à Lausanne en 1791—il y séjourna de 1784 à 1797,—le journal de Mary Holroyd fille de lord Scheffield, qui fut son hôte de juin à octobre de la même année, ne mentionne nullement les Lamartine dans la liste très détaillée qu'elle donne des habitués de la *Grotte*; la *Correspondance* et l'*Autobiographie* de Gibbon sont tout aussi muettes sur ce point. Enfin il est assez difficile d'admettre qu'il ait connu Mlle Des Roys au Palais-Royal: il fut bien un assidu de la petite cour du duc d'Orléans, mais il quitta définitivement Paris en 1784. À cette date, la jeune fille avait quatorze ans et n'était qu'une enfant. Quoi qu'il en soit, sans mettre en doute ce voyage à Lausanne, il est certain qu'il fut très court. Mme de Lamartine était en effet en novembre de retour à Mâcon, pour ses couches, et sa présence nous y est attestée par l'acte de baptême de son second fils Félix, mort deux ans plus tard[82].

C'est à cette époque que la situation commença à devenir difficile pour les Lamartine: la royauté étant en péril, le chevalier fit aussitôt son devoir de soldat et de gentilhomme, et ce fut le premier signal de la dispersion du foyer.

Bien que démissionnaire le 1er mai 1791 pour n'avoir pas à prêter serment à la Constitution, il se rendit en mai 1792 à Paris offrir ses services au Roi. Un mémoire présenté en 1814 à Louis XVIII en vue d'obtenir la croix de Saint-Louis et apostillé par un parent de sa femme, le président Henrion de Pensey alors ministre de la justice, nous donne quelques détails sur son dévouement fidèle mais obscur, et qui confirment entièrement le récit des *Confidences* et de l'*Histoire des Girondins*[83].

Dès son arrivée, suivant en cela l'exemple de la noblesse de France, il fit demander au Roi ses ordres, soit pour émigrer, soit pour rester. Louis XVI, comme à tous, lui répondit de demeurer. Il obéit et ne manqua aucune occasion de se rendre aux Tuileries chaque fois que le château fut menacé; il s'y trouvait même le 10 août, resta jusqu'après l'attaque, combattit l'un des derniers. Poursuivi par les vainqueurs, il échappa aux massacres de la Force grâce à la complicité d'un des jardiniers d'Henrion de Pensey qui se trouvait parmi les émeutiers et eut pitié de lui. Il le cacha et lui fournit des vêtements qui lui permirent de circuler dans Paris sans éveiller l'attention. Le chevalier erra alors quelques jours, ne sachant quel parti prendre, puis reprit le chemin de Mâcon. À son arrivée, il trouva le pays en pleine émeute.

Déjà, trois ans auparavant, dans les derniers jours de juillet 1789, une véritable Jacquerie avait éclaté dans le Mâconnais. À Cormatin, à Cluny, à Hurigny, à Saint-Point surtout,—qui appartenait encore aux Castellane,—les paysans avaient envahi le château, brûlé les terriers et les titres de redevances. Les Lamartine ne furent pas épargnés: le 27 juillet, leur petite propriété de Pérone était dévastée et leur concierge qui tentait de s'opposer au pillage se noya dans le puits où on l'avait jeté. Le jour même, le curé de Pérone, Étienne Moiroux, était assailli au presbytère, et brutalisé. Mais les années 1790-1791 furent plus calmes; le mouvement ne reprit qu'en 1792, lors de la réforme du clergé.

Lamartine, en divers endroits de son œuvre, s'est longuement étendu sur les persécutions que sa famille eut à subir pendant la Terreur. Si l'on en excepte l'épisode d'après lequel son père aurait échangé des lettres avec sa mère, de la prison aux fenêtres de la maison de la rue des Ursulines située en face, où elle se serait retirée, tout ce qu'il y a raconté est exact, à quelques détails près. Grâce aux Archives de Saône-et-Loire, il est d'ailleurs facile de rétablir l'existence des Lamartine durant les années 1792-1795.

Ils ne commencèrent guère à être inquiétés qu'en 1792, à la suite de l'émigration du fils aîné François-Louis, émigration qui dut être extrêmement courte, mais qu'il n'est guère possible de mettre en doute. Dans la *Liste générale des émigrés*[84], on trouve en effet à la lettre L un tableau où figurent Louis-François le père et François-Louis le fils, dont les biens furent mis sous séquestre les 5 juillet, 20 septembre et 28 novembre 1792. Aussitôt, le vieux seigneur de Montceau protesta avec énergie et fit parvenir aux directoires de Saône-et-Loire et de la Haute-Saône des attestations de civisme et des certificats de résidence, mais pour lui seul, et sans jamais faire mention de son fils dont on ne trouve aucune réclamation; ceci semble suffisamment prouver qu'il n'était pas alors en France. On ne tarda pas d'ailleurs à faire droit aux requêtes de Louis-François: le 12 avril 1793 il obtenait la mainlevée des scellés apposés à Montceau et à Milly, le 24 mai celle des propriétés de Franche-Comté[85].

Prévenu sans doute des conséquences qu'allait entraîner sa disparition, François-Louis revint à Mâcon, où on le trouve en octobre. Mais il paraît impossible de mettre en doute son émigration, contestée par Lamartine, puisqu'il n'existe aucune protestation émanant de lui contre la qualité qu'on lui prêtait, que son père n'agit qu'en son nom propre dans toutes ses revendications, et qu'à la fin de 1793 les Lamartine furent emprisonnés comme parents d'émigré.

Contrairement à ce qu'on lit dans les *Confidences*, le grand-père du poète ne fut pas détenu; sans doute, son âge lui valut-il cette exception, car il avait alors quatre-vingt-trois ans. Sa femme et lui passèrent toute la période de la Terreur dans leur maison de Pérone, après que l'hôtel de Mâcon eut été mis sous séquestre le 13 août 1792. On ne les y aurait probablement guère inquiétés davantage, si avec un entêtement indomptable il n'avait à chaque instant attiré l'attention sur lui.

En effet, le curé de Pérone, qui en 1789 avait été à moitié assommé par les émeutiers, s'était empressé de prêter serment à la constitution civile du clergé, afin de s'éviter le retour de semblables désagréments. Immédiatement, Louis-François, fidèle à ses principes, refusa les services de l'infortuné, et fit dire la messe chez lui par un prêtre non assermenté qu'il avait recueilli. L'habituelle dénonciation ne se fit pas attendre: le 23 juin 1794, le directoire de Saône-et-Loire, *instruit que les biens des époux Lamartine, ex-nobles, ne sont pas dans la main de la nation, bien qu'ils doivent être séquestrés*, fit apposer à nouveau les scellés à Montceau, Milly, Mâcon et tous les biens que Louis-François avait fini par récupérer à force de réclamations. Le 25 août on vendit sur pied leurs récoltes au bénéfice de la République et cette vente produisit un total de 124 000 livres en assignats. Quant aux deux vieillards, on se contenta de les détenir à domicile, estimant sans doute que leur âge les rendait peu redoutables, jusqu'à l'apaisement qui suivit la mort de Robespierre.

Les aventures des trois fils furent plus sérieuses. L'aîné, on l'a vu, avait émigré, mais il était de retour à Mâcon en octobre 1793. Le registre d'écrou porte qu'il fut emprisonné aux Ursulines le 13 de ce même mois, et que son déplorable état de santé lui valut d'être interné à l'hôpital. De ses fenêtres il pouvait voir la demeure familiale, car la prison des Ursulines avait remplacé le couvent du même nom qui faisait face à la maison natale du poète. Il n'y resta que peu de temps: le 9 novembre il était avec ses frères et sœurs transféré aux Visitandines d'Autun, également devenues prison nationale, et il n'en sortit que le 30 septembre 1794[86].

Pour l'abbé, il figure sur une liste de dénonciation datée du 21 octobre 1793 et qui concernait 54 prêtres non assermentés; le 25 il était arrêté à Pérone chez son père. D'après une pièce de son dossier aux Archives Nationales, il aurait prêté serment le 30 septembre 1792. Il y a là une erreur, car la suite de ses tribulations et surtout l'attitude de son père démentent entièrement cette assertion. Il figure au contraire au début de 1792 avec sa sœur Suzanne, l'exchanoinesse, à «l'état général des pensionnaires de deux sexes jouissant d'une pension à la charge du trésor national», ce qui confirme qu'il avait alors renoncé à ses fonctions pour ne pas prêter le serment, et l'on a vu déjà qu'il fut incarcéré comme non assermenté.

Arrêté le 25 octobre, il fut condamné le 13 novembre à la déportation; on le transfera alors de Mâcon à Autun, d'où il fut extrait le 25 avril 1794 pour être conduit à Cayenne avec 18 autres prêtres. À Rochefort, on l'embarqua sur le *Washington*, vaisseau ponton où les prisonniers attendaient en cas de réclamation que le gouvernement ait définitivement statué sur leur sort. Il y demeura trois mois.

Pendant ce temps, on procédait à Mâcon à la vente publique des meubles et effets lui ayant appartenu et qui se trouvaient dans sa chambre de l'hôtel Lamartine mis sous scellés. Le citoyen Durand acquit pour 112 livres une commode en bois de rose; le citoyen Ducartel, un «bonheur du jour» pour 140 livres, et les citoyennes Chédé et Droit se disputèrent deux paires de chaussures, quatre bonnets de nuit, un habit de drap gris, un autre de kalmouck violet, une «anglaise» de drap gris et sa veste pour 65 livres, tandis que le citoyen Lacombe se voyait adjuger à 21 livres 10 sols la petite pharmacie et les outils de tourneur de l'abbé.

Il faut remarquer qu'on ne toucha à aucun des objets appartenant à Louis-François. Celui-ci, en effet, se montrait énergique à un moment où le silence et la peur étaient les seuls moyens de se faire oublier. Fort de ce qu'il croyait être son droit, indigné de ces comédies judiciaires, il ne cessait d'adresser réclamation sur réclamation avec une invraisemblable incompréhension des événements auxquels il assistait. Lorsqu'il apprit le départ de l'abbé pour Cayenne, il prit la plume une fois de plus et adressa au directoire de Saône-et-Loire un véhément *factum* qui aurait pu l'entraîner loin, car il n'était rien moins qu'une violente critique de la procédure expéditive alors en cours, agrémentée de considérations sur la situation générale du pays. On y lit des morceaux comme celui-ci:

Si le département appelle dénonciation une liste de proscription sans motif quelconque articulé, nous devons tous trembler. Cette dénonciation telle qu'elle n'a même pas été reconnue authentique, le département n'a pas récolé les dénonciateurs sur leurs signatures, ne leur a pas demandé s'ils la reconnaissaient, s'ils persistaient. Voilà une liste, cela suffit. Suivons: le département dit 1° qu'il est instruit particulièrement. Grand Dieu! quelle instruction! des juges qui sont instruits non par la procédure, mais particulièrement! cela fait frémir!

2° Que les inculpés ont été en partie prévenus de suspicion; mais le comité n'a pas fait la faute de déclarer suspects des hommes domiciliés depuis dix ans hors du département, des enfants de quinze ans qui n'ont jamais passé à

Mâcon que quarante-huit heures? il y en a cinq dans ce cas et le département les condamne tous, sans les appeler, ni les entendre, à la déportation!

Pour ce qui regarde particulièrement mon fils, c'est en vain que j'ai demandé extrait des motifs de son arrestation; pour tout extrait, on m'a donné ces mots: «Lamartine, ex-chanoine, n'ayant pas donné de preuves suffisantes d'attachement à la Révolution», sans date, sans signature, ni rien qui donne de la force à ce vague énoncé. Si c'est sur cela que le département, *instruit particulièrement*, le déporte, lui, muni de certificats de civisme, étranger au canton, on ferait un gros volume des vices de cet arrêté cruel.

Un tel langage pouvait être dangereux et pour celui qui le parlait et pour ceux qu'il mettait en cause. Mais Louis-François ne s'en tint pas là: avec une persévérance incroyable et un mépris inouï des dangers qu'il courait, il finit par obtenir de tous les dénonciateurs le désaveu écrit de leur signature; plusieurs d'entre eux allèrent même jusqu'à certifier qu'on la leur avait arrachée par surprise et signèrent la pétition par laquelle, après le 9 thermidor, il réclama la mise en liberté de son fils.

Le département, cette fois, fit droit à sa requête et s'inclina devant la volonté publique, car la pétition s'était couverte d'une centaine de noms. Le 30 janvier 1795, *vu la demande des citoyens Lamartine, Dondin, Sombardin, etc., et les pièces y jointes par lesquelles il paraît que «ledit arrêté de déportation n'a été signé par personne»* (sic), le comité arrêta que l'abbé serait mis en liberté et rayé de toute liste de déportés. Le 15 novembre 1795 il était de retour à Mâcon, après deux années d'épreuves, mais il ne fut définitivement rayé de la liste des émigrés où il avait été porté par erreur, sans doute à la place de son frère aîné, que le 3 février 1802.

Quant au chevalier, il fut incarcéré aux Ursulines le 5 octobre 1793, puis transféré le 28 janvier 1794 aux Visitandines d'Autun et mis en liberté le 30 octobre de la même année, avec ses deux sœurs[87]. Dans la préface du *Manuscrit de ma mère*, Lamartine a raconté que pendant toute la Terreur sa mère avait habité la maison de la rue des Ursulines, et c'est le motif d'un charmant épisode où l'on voit à la nuit les jeunes époux échanger de tendres lettres, des fenêtres de la petite demeure à celles de la prison située en face, par le romanesque moyen d'un arc et de flèches. L'histoire, pour joliment contée, n'en est pas moins tout à fait inexacte, car si un mur de la prison faisait bien vis-à-vis à la maison des Lamartine, celle-ci avait été mise sous séquestre en même temps que l'hôtel de la rue Croix-Saint-Girard, c'est-à-dire près d'un an avant l'emprisonnement du chevalier. De plus, pendant la détention de son mari à Mâcon, la jeune femme n'habitait plus la ville; en effet, lorsqu'il avait vu ses trois fils sous les verrous, Louis-François avait exigé d'elle une incroyable démarche: en novembre 1793, laissant à Pérone ses deux plus jeunes enfants, Félix et Mélanie, celle-ci à peine sevrée, Mme de

Lamartine dut prendre le chemin de Paris avec le petit Alphonse, alors âgé de trois ans et dont elle ne voulait pas se séparer. Elle partait, raconte-t-elle dix ans plus tard[88], solliciter *d'anciennes relations* de son père pour obtenir la mise en liberté de son mari et de ses beaux-frères, car le vieux Lamartine, dans son inconscience absolue des dangers qu'il faisait courir à tous les siens avec sa terrible manie des réclamations, s'imaginait toujours qu'il suffirait d'un mot pour se faire rendre justice; ainsi, le crédit des Des Roys qu'on lui avait tant vanté au moment du mariage de son fils finirait bien par rendre quelque service.

En cours de route, la pauvre femme à moitié morte de peur des périls qu'elle avait courus s'arrêta dans la Marne, chez son père, pour lui demander conseil et lui laisser l'enfant.

«Là, dit elle, Dieu permit qu'on rendît alors un décret qui défendait aux ci-devant nobles d'aller à Paris sous peine de mort; ce fut fort heureux, car les démarches étaient fort dangereuses.» Elle demeura donc six mois à Rieux et ne regagna la Bourgogne qu'en août 1794. Elle se réfugia alors à Pérone auprès de son beau-père et y demeura jusqu'à la libération de son mari. Le calme revenu et les séquestres levés, tous deux vinrent habiter à nouveau la rue des Ursulines, où leur présence nous est attestée le 4 décembre 1795 par l'acte de décès de leur petit garçon Félix.

Peu à peu, l'apaisement se fit. À la fin de 1795 les Lamartine se retrouvèrent sains et saufs dans la vieille demeure familiale. Mais trop d'alertes avaient épuisé les deux vieillards: la grand'mère s'éteignit la première le 4 septembre 1796, à l'âge de soixante-quinze ans et Louis-François la suivit peu de mois après, le 11 mai 1797; il venait d'atteindre sa quatre-vingt-sixième année.

Après leur mort, le partage de terres commença, et Lamartine rapporte qu'il fut long et épineux: en effet la loi nouvelle sur les successions bouleversait leurs vieilles traditions de famille en exigeant un partage égal entre tous les enfants. Le meilleur des terres de Franche-Comté avait disparu pendant la Terreur, ruiné faute d'entretien ou aliéné prématurément comme bien national. Les usines de Saint-Claude étaient délabrées; le reste ne comprenait plus que des parcelles éparses, difficiles à gérer par suite des circonstances. Mme de Lamartine raconte qu'on se hâta de vendre les débris de ce magnifique patrimoine, et qu'on s'arrangea à l'amiable pour les terres de Bourgogne.

L'abbé reçut Montculot et la maison de la rue des Ursulines; Mme du Villars Pérone, Collonge et Champagne; François-Louis, en sa qualité de chef de famille, hérita de Montceau et ses dépendances, de l'hôtel de Mâcon et de la Tour de Mailly, dont l'ensemble demeura toutefois indivis entre lui et sa sœur aînée, Mlle de Lamartine. Le chevalier dut se contenter de Milly qu'il possédait déjà en fait depuis son mariage et où il se hâta de se réfugier avec sa femme et ses enfants dès l'automne de 1797.

CHAPITRE IV

LE DÉCOR.—LES VOISINS

Milly est un pauvre village d'une quarantaine de maisonnettes qui s'étend en amphithéâtre à mi-flanc d'un vallon encaissé de hautes collines, les unes cultivées, le Craz, les autres arides, le Monsard. Une solitude et une tristesse infinies s'en dégagent au premier abord, mais à mieux connaître tous ses aspects on finit par lui découvrir un charme pénétrant.

Toute interprétation de la poésie de Milly restera forcément imparfaite et surtout inutile, car la seule façon dont Lamartine la comprit doit nous retenir. Nul jamais ne découvrira dans Milly tout ce qu'il y voyait et n'éprouvera, même au cours de multiples visites dans ce coin sauvage de Bourgogne, les sentiments du foyer et de la terre natale, les souvenirs d'enfance avec leurs nuances invisibles qu'il est parvenu à rendre merveilleusement. M. Reyssié, pourtant, qui avait une très grande habitude du pays et connaissait le vallon sous tous ses aspects, est parvenu à les décrire de manière très fidèle et très exacte.

Tout au bas du village, en bordure de la route et dominée par le Craz, se trouve la petite maison des Lamartine. Elle n'a point d'histoire: élevée au début du XVIIIe siècle par Jean-Baptiste, premier seigneur de Montceau, c'était alors, plutôt qu'une demeure, un pavillon où il venait l'automne surveiller ses vendanges. Rien n'y était établi en prévision de longs séjours et au moment de son installation le chevalier fut même obligé d'y faire élever deux cheminées. Aujourd'hui, il est difficile de se la représenter dans son état primitif, car elle a subi des remaniements qui ont modifié entièrement son ancien aspect. Elle est située en retrait de la route unique qui traverse le village, au fond d'une cour actuellement ornée de massifs, mais qui autrefois servait, avec ses communs, à garer cuves, pressoirs et tombereaux. Derrière, s'étend un minuscule jardin dont les charmilles, les frênes et les chênes sont les seuls arbres de Milly, et finit en pente douce au pied du Craz par un potager. Aucune source, aucun cours d'eau n'arrose le pays.

La maison n'a qu'un seul étage; elle est petite, obscure, humide, et jamais le soleil n'y pénètre. Elle comprend en tout neuf pièces et l'on imagine mal comment sept personnes pouvaient y vivre. Des plantes grimpantes recouvrent entièrement les murs jusqu'aux tuiles et les arbres viennent frôler les vitres. En hiver, la tristesse et la désolation sont impressionnantes; ce décor de Milly est une des sources les plus certaines de la mélancolie de Lamartine et explique amplement la maladie de nerfs dont il souffrit lorsque ses vingt ans y furent cloîtrés.

Une grave erreur en effet serait de croire que l'amour de Lamartine pour Milly date de sa jeunesse; il contribua beaucoup à cette légende, mais on voit par sa *Correspondance* qu'il ne l'appelait guère alors que sa «détestable patrie». Il ne découvrit son charme que longtemps après, lorsqu'il en fit avec le recul du temps le temple de ses souvenirs d'enfance. Milly devint alors pour lui un culte, celui de sa mère dont il venait encore rechercher la trace trente ans plus tard. «C'est, disait-il un jour âprement, la seule chose que je ne pardonne pas à mes concitoyens que de m'avoir forcé de vendre Milly[89].»

Le domaine comprenait une cinquantaine d'hectares plantés en vignes. En 1801, Pierre de Lamartine y ajouta Saint-Point, acheté partie sur ses économies, partie sur une somme qui lui revenait de la succession de son père.

Saint-Point bien plus que Milly fut aux yeux de ses contemporains la véritable demeure du poète. C'était un vieux château féodal bâti sur la vallée de la Valouze dans un joli site boisé et plus riant que Milly, dont il était éloigné d'une quinzaine de kilomètres. Lorsqu'à son mariage Lamartine en acquit la jouissance, il lui fit subir plusieurs réparations et sacrifiant lui aussi à la mode romantique, y fit ajouter des terrasses, des tourelles, des fenêtres ogivales et dentelées qui ne vont pas sans déparer un peu l'austère simplicité romane du bâtiment.

La partie orientale du château comprise entre les deux tours rondes remonte seule au moyen âge; l'ensemble a été remanié à différentes époques et on voit par les inventaires antérieurs à la Révolution qu'il comprenait primitivement quatre grosses tours, des murailles à créneaux qui enfermaient une cour commandée par un pont-levis et entourée de profonds fossés. De l'histoire ancienne du château, on sait peu de chose; il fut assiégé et pris par les Français en 1471 lors des luttes entre Louis XI et Charles le Téméraire; au cours des XVIIe siècle et XVIIIe siècles, il demeura le plus souvent inhabité, ce qui explique son délabrement, achevé le 30 juillet 1789 par les émeutiers qui le mutilèrent et le pillèrent entièrement.

Ce jour-là, tous les habitants de Saint-Point, vignerons, grangers et manœuvres, assemblés au son de la cloche, forcèrent la grande porte, découronnèrent les tours, démolirent les charpentes et toitures, brûlèrent les archives. L'affaire fut vite menée, sans résistance possible de la part de l'intendant. Tout ce qu'il put obtenir d'eux fut qu'ils ne mettraient pas le feu au château, leur objectant que l'incendie pourrait gagner le village. Les choses restèrent longtemps en l'état, et la Terreur vint achever la ruine du domaine. Au moment où le chevalier s'en rendit acquéreur, la maison était inhabitable.

La famille de Saint-Point posséda le château—dont les seigneurs se qualifiaient marquis—du milieu du XIIe siècle à la fin du XVIe siècle. L'un de ses membres, Guillaume de Saint-Point, seigneur de la Foretz, de Chanvantet de Clermatin, a laissé quelque trace dans l'histoire en jouant un rôle assez important pendant les guerres de religion où il se distingua par ses cruautés.

En 1557, il fut élu capitaine du ban et arrière-ban de la noblesse du bailliage, et combattit dans les armées catholiques; mais le meilleur de sa célébrité lui vient encore des farces de Saint-Point, jeu qui consistait à noyer en Saône ses prisonniers huguenots et où il conviait en grande pompe tous ses vassaux et amis. Il finit assassiné par un jeune gentilhomme mâconnais dont il avait dévasté les biens, et ses aventures sont relatées dans un ténébreux roman dédié à Lamartine et qui fut accueilli avec succès en 1845, car le public y trouvait une occasion de pénétrer dans ce fameux château de Saint-Point rendu populaire par la gloire de son propriétaire[90].

Sa fille naturelle et légitimée épousa en 1564 Antoine de la Tour de Saint-Vidal qui, comme son beau-frère, fut un des capitaines catholiques les plus acharnés contre les réformés; il eut la même fin tragique et fut tué en duel. Sa veuve se remaria en 1596 et à sa mort légua ses biens à son petit-fils, Claude de Rochefort d'Ally; il épousa Anne de Lucinge et fut gouverneur de Saint-Jean de Losne qu'il défendit héroïquement contre les Impériaux en 1663.

Saint-Point demeura propriété des Rochefort jusqu'au milieu du XVIIIe siècle; à cette époque il passa par mariage aux mains de Charles Testu de Balincourt qui, le 29 avril 1776, céda le marquisat et ses dépendances à Henry de Castellane, chevalier d'honneur de madame Sophie. Son fils en hérita en 1789; il s'occupa un moment de politique et ce fut lui qui à la journée du 13 vendémiaire fit battre le rappel pour marcher contre la Convention. Condamné à mort par contumace, il prit la fuite, mais revint l'année suivante se constituer prisonnier et fut acquitté. À moitié ruiné, il allait vendre Saint-Point en 1800 à des marchands de biens, lorsqu'à la requête d'un créancier on procéda à une adjudication publique et, le 10 février 1801, Pierre de Lamartine s'en rendit acquéreur au prix de 80 000 francs. L'opération fut très fructueuse pour lui car les bois de Saint-Point n'avaient pas été taillés depuis un siècle: avec une coupe il rentra dans ses débours. Quant au vignoble, il était peu important et abandonné depuis longtemps.

À ce moment, le château tombait en ruines. Mme de Lamartine note dans son journal que c'est «un bon bien et un pays agréable»; «c'est fort dévasté, ajoute-t-elle, et rien ne peut y flatter l'amour-propre».

Au début, les Lamartine n'y feront que de rares et courts séjours; plus tard, ils y passeront quelques semaines, en été ou au moment des vendanges, lorsque les réparations indispensables auront été effectuées peu à peu. Mais la mère s'y rendra souvent dans la journée avec ses enfants, en char à bancs ou à âne, au long des petits sentiers qui dévalent des coteaux et raccourcissent le chemin.

Dans la solitude de Milly et le délabrement de Saint-Point, la jeune femme connut tout d'abord quelques heures de découragement et d'ennui. Très vite, pourtant, et comme toujours en luttant contre elle même, elle s'habitua à cette vie nouvelle. Ses devoirs de mère vont l'absorber entièrement et, la première hésitation passée, elle classera ses occupations, se dévouera entièrement à son ménage et à l'éducation de ses enfants.

La vie à Milly était plus que simple, car les ressources, uniquement fondées sur les vignes, étaient modestes. En 1801, Mme de Lamartine qui assumait toutes les charges, encaissait les revenus et donnait 1600 francs par an à son mari; en 1805, celui-ci reprit la direction du ménage: il alloua à sa femme 600 francs par mois, douze pièces de vin et les petites réserves de Milly et de Saint-Point. Avec cette somme elle assurait la vie quotidienne, payait l'entretien et l'éducation de ses filles tandis que le chevalier s'occupait de la pension de leur fils et des charges générales. Leur fortune, on le voit, était modeste et on peut l'évaluer à une quinzaine de mille francs de rente.

Le matin, on se levait à l'aube, le père partait dans ses vignes, ou chassait; sa femme commandait leurs huit vignerons et domestiques, surveillait la maison, la lessive, la basse-cour, le potager, et trouvait encore quelques instants pour commencer la première éducation de ses enfants.

La journée, écrit-elle, n'est jamais assez longue pour ce que je voudrais faire, et mes forces sont épuisées avant que mon goût pour les occupations le soit. Je vais tous les jours à la messe de sept heures avec mes enfants; nous déjeunons ensuite, puis quelques soins de ménage, puis le travail en lisant tour à tour la Bible, une leçon de grammaire et la lecture de l'histoire de France: tout cela nous conduit jusqu'au dîner sans que personne ait trouvé le temps long. Après le dîner, je donne récréation une heure. Nous reprenons ensuite l'ouvrage avec une lecture agréable que je tâche toujours de rendre instructive, jusqu'au goûter, après lequel on apprend par cœur des vers, de l'histoire de France et de la grammaire. Puis nous nous promenons jusqu'à la nuit et à la veillée pendant que je joue aux échecs avec mon mari, les enfants s'amusent et apprennent quelques vers des fables de Lafontaine. C'est toujours le plan ordinaire de notre journée à quelques différences près.

Lorsque l'année avait été bonne, les Lamartine allaient passer l'hiver à Mâcon: au début, ce fut dans une maison louée; en 1805, le chevalier, sur les instances de sa femme, se décida à l'acheter et la paya 29 615 francs à M. Barthelot d'Ozenay un de leurs amis. Elle portait le numéro 15 de la rue de l'Église: c'est là qu'à partir de 1805 ils passeront tous les hivers. À côté de la poétique description qu'en a faite Lamartine, il faut rapprocher celle de Mme Delahante, plus véridique: «L'entrée, dit-elle, ressemblait fort à une cave et tout y était plus que simple et fort triste; nous avons fait bien des parties dans son jardin qui était affreux, mais dont les hautes murailles étaient tapissées de roses blanches».

Quelques voisins agréables animaient un peu cette vie solitaire. C'étaient les de Rambuteau, très liés au XVIIIe siècle avec les Lamartine et dont deux membres signèrent à l'acte de baptême du poète; le futur préfet de la Seine, Claude-Philibert, tout en étant un peu plus âgé que lui puisqu'il était né en 1781, fut son ami de jeunesse. Il avait épousé Mlle de Narbonne, fille du comte Louis, ministre de la guerre à la fin du règne de Louis XVI, et devint plus tard très en faveur auprès de Napoléon. Leur grand luxe, leur fastueuse résidence de Champgrenon n'allaient pas parfois sans écraser un peu la pauvre Mme de Lamartine qui écrivait un jour: «Après dîner Mme de Rambuteau est venue avec ses enfants faire une visite; elle passe beaucoup de temps à Paris, elle a beaucoup de fortune et un grand train. Quand je vis son beau carrosse, ajoute-t-elle mélancoliquement, ses superbes chevaux auprès de mon modeste équipage, j'eus un petit moment de honte que je me reproche...»

À Bussière et à Milly, il y avait l'abbé Dumont, grand ami du chevalier et qui chassait avec lui; les du Sordet; M. de Valmont, vieux gentilhomme courtois et lettré, et l'excellent M. de Vaudran: emprisonné à Lyon pendant la Terreur il avait été rendu à la liberté après Thermidor. Il s'établit alors à Bussière avec sa mère et ses sœurs et y demeura jusqu'à sa mort survenue en 1820. C'était, paraît-il, un érudit et brillant causeur qui charmait l'enfant par de belles histoires et lui donna ses premières leçons de dessin et d'écriture. Plus tard, il le patronna à l'Académie de Mâcon et s'intéressa à ses premiers essais poétiques, mais mourut sans connaître la gloire de son ancien élève qu'il aimait beaucoup. Il était le grand-oncle de Léon Bruys d'Ouilly, l'ami d'enfance à qui sont dédiés les *Recueillements*, romanesque et beau garçon qui succéda à lord Byron dans le cœur de la comtesse Guccioli, pour laquelle il se ruina complètement[91].

Parfois on descendait en char à bœufs, raconte Mme de Lamartine, la petite route en lacets qui serpente à travers les vignes de Milly à Pierreclos. Là, à l'abri d'un antique donjon féodal qui commande une gorge étroite et fleurie, vivait le vieux comte Jean-Baptiste de Pierreclau, colosse d'un autre temps et qui, malgré la Révolution, régnait toujours par la terreur sur ses anciens vassaux. Conseiller du roi et trésorier de France à Lyon à la fin du XVIIIe siècle, il avait épousé Mlle de la Rochetaillée et menait un train de prince à Mâcon où il possédait deux magnifiques hôtels; la Terreur l'envoya en prison et dispersa sa famille.

Le calme revenu, il rentra dans son château dévasté, en proie à une fureur indicible: tant bien que mal il reprit sa vie, mais au point où on l'avait interrompue malgré lui. Dans les *Confidences*, Lamartine nous a laissé un pittoresque tableau de son existence, où revit l'étrange physionomie de ce vieux royaliste irréductible et hautain. «Figure des romans de Walter Scott, dit-il, vieillard illettré et rude, sauvage, absolu sur sa famille, bon au fond, mais fier et dur de langage avec ses anciens vassaux qui avaient saccagé sa demeure pendant les premiers orages de la Révolution.»

On jouait, paraît-il, à Pierreclos du matin au soir et c'était la seule manière de passer le temps; puis, le maître du château armé d'un porte-voix donnait les ordres à ses fermiers du haut de la terrasse escarpée qui dominait la vallée. Ses six enfants se mouraient d'ennui auprès de leur père. Un fils, après de romanesques aventures, s'était marié à la jeune fille d'un vieux chouan dangereux mégalomane qui eut son heure de célébrité, le baron Dézoteux-Cormatin, et habitait la splendide résidence seigneuriale des anciens marquis d'Huxelles. Plus tard, Lamartine se liera intimement avec ce chevalier de Pierreclau, âme sentimentale et chevaleresque qui avait hérité des sentiments monarchistes de son père[92].

À Pierreclos, les Lamartine retrouvaient encore quelques débris de l'ancienne splendeur d'autrefois, car le vieux comte aimait la bonne chère et la musique. Demeuré très grand seigneur malgré sa fortune ébréchée, il recevait avec une urbanité un peu bourrue, et sans jamais tolérer qu'on parlât politique. Lorsqu'on touchait à ce sujet, il entrait dans des colères terribles et qui faisaient trembler les siens; mais il aimait à ressusciter la pompe et l'étiquette de sa jeunesse. Mme de Lamartine évoquait, en le voyant, le souvenir des grands seigneurs qu'elle avait connus au Palais-Royal.

Les de Pierreclau étaient les voisins les plus habituels des Lamartine, et c'est avec eux souvent qu'on descendait jusqu'à Montceau et à Pérone, où vivaient, très retirés, François-Louis et sa sœur.

Toute cette petite vie campagnarde, humble mais bien remplie, est relatée quotidiennement dans le *Journal intime*. Point de grands événements, surtout point de politique. Les bruits du monde ne leur parviennent que rarement, et très affaiblis. Le nom de Bonaparte—sous lequel l'Empereur sera désigné par Mme de Lamartine—est un objet d'exécration dans ce milieu. D'ailleurs, après les vicissitudes qu'ils viennent d'éprouver, les Lamartine sont heureux du calme qu'ils possèdent maintenant et ne regrettent point le passé. Leur seul but désormais sera de vivre en repos et d'élever leurs enfants simplement et chrétiennement, dans le respect des vieilles traditions que rien chez eux n'est parvenu à effacer.

Ainsi, à résumer cette première enfance de Lamartine, qui s'étend de 1790 à 1800, on voit qu'il eut quelque raison par la suite de s'écrier romantiquement: «Et l'on s'étonne que les hommes dont la vie date de ces jours sinistres aient apporté en naissant un goût de tristesse et une empreinte de mélancolie dans le génie français! Que l'on songe au lait aigri de larmes que je reçus moi-même de ma mère pendant que la famille entière était dans une captivité qui ne s'ouvrait que pour la mort!» Il n'y a pas que de l'emphase dans cette lyrique exclamation: les premières impressions de l'enfant ne furent que tristesses et craintes, et il sera longtemps sans connaître la douceur et l'habitude d'un foyer. Plus tard, vers huit ans, il n'aura pas d'autres camarades à Milly que les petits paysans du village, dont Mme de Lamartine redoutera un peu la société. Elle s'efforcera alors de le garder le plus possible près d'elle, et veillera sur lui avec une inquiète sollicitude. Son âme mélancolique influera peu à peu sur celle de l'enfant dont elle essayera encore d'atténuer le caractère vif et bruyant, d'après elle, et qui déjà commençait à la tourmenter pour l'avenir.

TROISIÈME PARTIE

LES ANNÉES D'ÉTUDE

CHAPITRE I

L'ABBÉ DUMONT[93]

Lorsqu'à l'automne de 1797 les Lamartine vinrent s'établir à Milly, on imagine qu'au milieu de leurs épreuves la première éducation de l'enfant avait été très négligée. Mais les écoles manquaient dans cette campagne perdue d'où l'on ne pouvait chaque matin le conduire à Mâcon. Mme de Lamartine, malgré le petit programme élaboré par elle, n'avait pas, à l'entendre, beaucoup de temps pour l'appliquer rigoureusement. D'ailleurs elle avoue elle-même qu'une fois passée l'ardeur des débuts elle finit vite par en ressentir quelque lassitude et une certaine appréhension. Son désir perpétuel de trouver ce qu'elle nomme «de juste milieu» lui faisait craindre à la fois de montrer trop de mansuétude ou trop de sévérité. Elle se décida alors à chercher autre chose; conservant pour sa part les lectures à haute voix elle confia son fils au curé de Bussière, petit village distant de quelques kilomètres, et dont dépendait Milly où le culte interrompu en 1792 n'avait pas été rétabli.

L'abbé Dumont a laissé sur son élève une impression profonde et qui ne s'affaiblit jamais. Plus tard Lamartine créera autour de son ancien maître une atmosphère de légende et dans les *Nouvelles Confidences*, soulèvera un coin du voile: on sut alors que sa vie avait servi de thème original au poème de *Jocelyn*, mais comme les deux récits n'allaient pas sans se contredire fréquemment, il devenait difficile de démêler quelle était la part de l'imagination et celle de la réalité. Pourtant quelques documents nouveaux, s'ils ne percent pas complètement le mystère de son existence, l'éclairent tout au moins davantage et sur bien des points confirment le récit du poète.

D'après Lamartine, l'abbé Dumont était né d'une famille plébéienne dans la maison même de l'ancien curé de Bussière, François-Antoine Destre. Au cours d'une visite au presbytère, l'évêque de Mâcon avait été frappé de la très belle figure et des aptitudes remarquables de l'enfant; il l'avait alors pris à l'évêché, en qualité de secrétaire. Survint la Révolution, qui le surprit au moment où il allait prononcer ses vœux; mais quelques pages plus loin Lamartine contredit cette affirmation et nous apprend qu'il fut jeté malgré lui dans le sacerdoce, la veille même du jour où ce sacerdoce allait être ruiné en France. On verra plus loin qu'aucune de ces deux versions n'est exacte. Au rétablissement du culte, Dumont fut nommé curé de Bussière et c'est à cette époque que Lamartine le connut.

Le jeune prêtre n'avait pas la vocation; tous ses goûts étaient ceux d'un gentilhomme, toutes ses habitudes étaient celles d'un soldat. Beau de visage, grand de taille, fier d'attitude, grave et mélancolique de physionomie, il parlait à sa mère avec tendresse, au curé avec respect, à ses écoliers avec dédain et supériorité. Son unique passion était la chasse, et l'on voyait chez lui des sabres, des couteaux, des fouets, des bottes à l'écuyère, tout un attirail de veneur qui voisinait avec des objets de goût. On sentait au son mâle et ferme de sa voix et à cet ameublement que son caractère naturel se vengeait du contresens de son état.

Il était instruit, et les nombreux volumes de sa bibliothèque attestaient sa culture. Mais les livres, comme les meubles, étaient très peu canoniques: c'étaient Raynal, Jean-Jacques, Voltaire, des romans du temps, les encyclopédistes, en même temps que des brochures et des journaux contre-révolutionnaires, car il était légitimiste. «Toute cette haine de la Révolution et toute cette philosophie dont la Révolution avait été la conséquence, dit Lamartine, se conciliaient très bien alors dans la plupart des hommes de cette époque; leur âme était un chaos, comme la société nouvelle. Ils ne s'y reconnaissaient plus.» Cette phrase fut sans doute l'excuse que trouva le poète à la déroutante psychologie du curé de Bussière; mais voici une plus grave révélation: «Il était aisé de voir que l'abbé Dumont était philosophe comme le siècle où il était né. Les mystères du christianisme qu'il accomplissait par honneur et par conformité avec son état ne lui semblaient guère qu'un rituel sans conséquences; cependant, bien que son esprit fût incrédule, son âme amollie par l'infortune était pieuse.»

Tel était l'abbé Dumont selon Lamartine, athée et prêtre. Quant aux causes de cet incohérent état d'âme, elles sont expliquées plus loin par un ténébreux récit où le curé de Bussière apparaît comme échappé d'un roman d'amour, aigri par ses infortunes et relégué dans une misérable campagne loin du monde qu'il avait tant aimé.

À vrai dire, on comprend que ce portrait soit accueilli avec quelques réserves. Comment admettre que les Lamartine aient confié leur fils à un prêtre mi-soudard, mi-voltairien et dont toute la région, au dire même du poète, connaissait les aventures? comment admettre que ses allures—car il était un des familiers de Milly—n'aient pas éveillé d'inquiets soupçons chez la pieuse Mme de Lamartine? Comment admettre, enfin, cet invraisemblable roman esquissé et poétisé d'abord dans *Jocelyn*, rétabli plus tard dans les *Confidences* et leur suite?

Et pourtant, il faut reconnaître que les pages consacrées à l'abbé Dumont sont exactes: il est hors de doute qu'à une époque difficile à préciser Lamartine reçut de son premier maître le dépôt d'un douloureux secret qui les lia l'un à l'autre d'une étroite amitié et révéla alors au jeune homme les véritables motifs de la détresse morale, des allures étranges et souvent inquiétantes de l'abbé Dumont.

Antoine-François Dumont naquit à la cure de Bussière le 29 juin 1764 et déjà, à relever les différences d'état civil que l'on trouve dans deux ouvrages qui parlent de lui, on constate un premier mystère. L'un le fait naître à Charnay le 24 juillet 1756[94], l'autre en fait le neveu et filleul de François Antoine Destre, alors curé de Bussière et à qui il succéda[95]. Or, il serait aussi vain d'aller rechercher son acte de baptême à Charnay, que d'essayer d'établir sur quelles pièces on a pu prétendre que sa mère était la sœur de Destre. Lamartine, on l'a vu l'a fait naître à Bussière «dans la maison même de l'ancien curé» et il avait ses raisons pour parler ainsi. Car Antoine-François Dumont qui, suivant son acte de baptême, était fils de Philippe Dumont et de Marie Charnay, tous deux au service du curé Destre, était—et ce n'était alors, paraît-il, un mystère pour personne—fils de Destre et de sa servante. Celui-ci, d'ailleurs, fut le parrain de l'enfant et lui imposa même ses prénoms; par la suite, il le logea chez lui sa vie durant, et lui assura une éducation soignée très supérieure à son humble origine officielle. Deux lettres de Destre qu'on lira plus loin prouvent l'affection qu'il porta toujours au jeune homme: en mourant, il l'institua son légataire universel alors que le fils cadet et véritable de Philippe Dumont, né en 1768, fut élevé modestement par ses parents et devint huissier à Mâcon. Tout ceci, il est vrai, ne prouverait rien et pourrait s'expliquer aisément du fait que Destre s'attacha à l'enfant dont il était parrain; mais rapproché de la tradition locale qui subsiste encore et surtout des deux erreurs, qui d'ailleurs ne s'accordent pas entre elles et dont on ne peut autrement s'expliquer l'origine dans des ouvrages très soigneusement documentés, semble autoriser cette version, explicitement admise par Lamartine.

Nous n'avons rien de précis sur la jeunesse de François Dumont; toutefois un fait est certain: il n'était nullement entré dans les ordres avant la Révolution, comme l'a prétendu l'abbé Chaumont après Lamartine, et on chercherait inutilement trace de son serment à la constitution civile du clergé ou de son emprisonnement comme non assermenté; il fut libre pendant la Terreur et dans tous les actes le concernant de 1791 à 1795 il est simplement qualifié de négociant en vins à Bussière, se montrant partout et nullement inquiété.

À partir de 1793, François Dumont régit avec un rare dévouement ce qui restait des biens de la famille de Pierreclau. Le vieux comte Jean-Baptiste avait été traîné en prison; avant de partir, eut-il le temps de confier secrètement une somme importante au jeune homme, avec des instructions précises pour rassembler les débris du patrimoine qui allait être vendu nationalement? cela paraît probable, car tous les achats de terres que fit alors en son nom propre François Dumont furent restitués plus tard par lui à leur ancien possesseur.

Le 18 fructidor an II, il achète pour 13 100 livres les récoltes provenant des «émigrés, déportés, condamnés et détenus Michon, cy devant Pierreclau». Le 22 pluviôse, il est signalé dans un procès-verbal d'inventaire du château où il habitait depuis le pillage qui avait suivi la défense désespérée de Jean-Baptiste lors de son arrestation; on y trouve, dans sa chambre et caché soigneusement au fond de vieux tonneaux, tout ce qu'il a pu ramasser d'objets intacts. À la même date, les vignerons certifient que les vins de la dernière récolte consistant en 18 pièces ont été vendus «par le citoyen Antoine-François Dumont, marchand à Bussière, et payés par lui à la citoyenne Michon»; lui-même exhibe ses quittances et ses pouvoirs en règle.

Dans le courant de 1793, il rachète ainsi en sous main la plupart des biens de Jean-Baptiste et les récoltes qui sont vendues sur pied. Le 12 fructidor an IV il est acquéreur pour 3 650 livres de la maison «cy devant presbytérale» de Bussière, avec ses dépendances; le 19 pluviôse an V, de la vieille église de Pierreclos et dans les deux actes de vente il est qualifié de «négociant demeurant à Bussière». Bref, pendant toute la Terreur, il apparaît comme le véritable fondé de pouvoirs de Jean-Baptiste, et dépositaire de tout ce que celui-ci a pu sauver d'or avant son emprisonnement. C'est un homme d'affaires prudent et actif, et rien en lui ne fait prévoir une vocation religieuse.

Lamartine, on l'a vu, a écrit qu'il avait été jeté «malgré lui» dans le sacerdoce, la veille même du jour où le sacerdoce allait être ruiné en France. Malgré lui, certes, mais après la Révolution. En réalité Antoine-François Dumont fut ordonné le 7 janvier 1798 et nommé aussitôt vicaire à Bussière, où le culte venait de recommencer sous la direction de l'ancien curé Destre qui, ayant prêté serment, n'avait pas été inquiété.

Quel événement soudain avait modifié la vie du jeune homme? quelle volonté plus forte que la sienne était venue le contraindre de renoncer au monde? Ce n'est pas *de lui-même* et dans un moment de détresse qu'il prit cette décision, comme l'a raconté aussi Lamartine, sans prendre garde qu'il se contredisait en l'espace de quelques pages. Mais le roman d'amour dont il a parlé est véridique, et s'il en a dénaturé quelques détails pour dépister les curiosités et respecter l'honneur d'une famille, il est du moins exact que François-Antoine Dumont expia par trente-cinq ans d'une vie à laquelle il ne se plia jamais complètement, la faute d'avoir séduit une jeune fille de la noblesse. La mère de celle-ci et Destre parvinrent à étouffer le scandale que le père ignora toujours, à la condition que François Dumont disparaîtrait du monde. Peu de temps après la jeune fille fut mariée à un vieillard, et l'enfant né des amours de Jocelyn et de Laurence fut élevé à la campagne où il mourut.

Ici se place un problème qu'il semble assez délicat de résoudre: pourquoi Lamartine, sachant que la faute de l'abbé Dumont était antérieure à sa vie ecclésiastique, n'a-t-il pas déchargé sa mémoire de ce qui, à ses yeux, devenait alors un crime? La figure du pauvre vicaire n'en serait-elle pas sortie grandie par une telle expiation et n'eût-il pas, du même coup, donné l'explication la meilleure des allures de l'abbé Dumont?

Celui-ci se résigna mal à ses nouvelles fonctions. Aigri, blessé, resté jeune et ardent, il fit en chaire de la propagande royaliste presque dès son entrée à la cure. Les autorités s'émurent et le 7 décembre 1798 l'église de Bussière fut fermée à nouveau «pour cause du fanatisme anti-républicain du curé». Elle rouvrit en 1799 sur la demande, paraît-il, des paroissiens, mais cette fois Mgr Moreau devenu évêque d'Autun, dut recommander plus de pondération à son ancien élève, et interdit à Destre de se faire remplacer par lui. Le vieux Destre, pourtant, accablé par l'âge et les infirmités, céda bientôt la place à son vicaire; à partir du 20 septembre 1801 les registres paroissiaux portent la signature de l'abbé Dumont, bien que Destre n'ait été officiellement remplacé par lui qu'en 1803.

De cette date jusqu'à sa mort, survenue en 1832, l'abbé Dumont fut curé de Bussière, et de Milly à partir de 1808, époque où les deux villages furent réunis sous la même autorité. Il habitait le petit presbytère où il était né et qui en 1793 avait abrité ses amours. Dès lors, on s'imagine aisément la vie du malheureux et tout ce qu'en a dit Lamartine s'éclaire d'une émouvante et douloureuse sincérité. Cette cure existe toujours: c'est une maison bourgeoise, bâtie au début du XVIIIe siècle par les soins de la famille de Pierreclau, et qu'il avait meublée sans l'habituelle simplicité des curés de campagne; à sa mort on vendit un grand lit Louis XVI, une belle console dorée, des chaises finement sculptées, un baromètre en bois doré et divers autres objets de valeur qui furent acquis à des prix dérisoires. Il léguait à Lamartine, qu'il nommait «son bienfaiteur et ami», sa bibliothèque, ses gravures—Louis XVI et Marie-Antoinette,—sa montre en or «et la petite pendule dont le prix a été acquitté par Mme de Lamartine mère». Près de sa tombe, qu'on voit encore au cimetière de Bussière, son ancien élève fit élever une pierre avec ces quelques mots:

À la mémoire de Dumont, curé de Bussière et de Milly pendant près de quarante ans, né et mort pauvre comme son divin maître, Alphonse de Lamartine, son ami, a consacré cette pierre près de l'église pour perpétuer parmi le troupeau le souvenir du bon pasteur. 1832.

Contradiction encore que cette épitaphe! car, même d'après Lamartine, l'abbé Dumont ne fut pas un bon pasteur. Le fardeau d'une mission imposée lui pesait lourdement, et ses révoltes intérieures étaient fréquentes. De son ancienne vie, il avait gardé la flamme et l'ardeur, et le poète a raconté ces longues courses avec ses chiens fidèles, dont la chasse était le prétexte, mais où il essayait de briser ses longues détresses par la fatigue. Royaliste intransigeant il le demeura toujours, et c'est peut-être l'origine de son amitié avec Pierre de Lamartine dont il était le compagnon le plus habituel. Dans son journal, pourtant, Mme de Lamartine en parle à peine, et comme d'un grand chasseur qui venait souvent s'asseoir à leur table et partager leur solitude. Mais on a vu que dans son testament l'abbé Dumont appelait

Lamartine son ami; le poète lui rendit le même hommage sur sa tombe et le poème de *Jocelyn* débute ainsi:

J'étais le seul ami qu'il eût sur cette terre.

Et Lamartine disait vrai: il fut le seul ami de l'abbé Dumont, le seul qui connût jamais le douloureux secret de cette existence brisée.

L'abbé Dumont était légitimiste et cela apparaît surtout dans ses registres paroissiaux; comme Bussière et Milly ne comptaient guère que 600 habitants, il n'avait pas grand'chose à y transcrire. Aussi avait-il pris l'habitude d'y tenir une sorte de journal des événements auxquels il assistait et, machinalement, il les entremêlait de brèves réflexions personnelles où l'on trouve trace de sa haine violente contre Napoléon. En 1805 il écrivait:

«Buonaparte est arrivé à Mâcon le dimanche 7 avril ayant avec lui Joséphine. Cette belle majesté est sortie de la préfecture le lendemain à cheval.» De même, on lit en 1811: «Marie-Louise est accouchée d'un fils le 20 mars. Buonaparte eût-il jamais cru, lorsqu'il étudiait à Brienne où notre bon roi Louis XVI payait sa pension, qu'il épouserait un jour une fille des Césars d'Autriche et qu'il serait assis sur le trône de France?» À partir de 1815, il prendra l'habitude chaque 21 janvier de célébrer en chaire la mémoire du roi-martyr, et de lire à ses paroissiens assemblés le «testament du juste», de «d'auguste victime». Lamartine qui sur sa tombe rendit pourtant un hommage public à ses vertus chrétiennes, nous a dit d'autre part combien sa foi était chancelante et faite de revirements. Les livres qu'il lui légua n'ont aucun caractère religieux: «Rousseau, Diderot et Voltaire y voisinent avec Saint-Simon, les Lettres de la Palatine, Machiavel, l'Arioste et d'autres....».

À l'évêché, on le jugeait mal et l'abbé Faraud, vicaire général de Mâcon, connaissait ses aventures en même temps que son caractère difficile. En 1797 on ne l'avait admis dans les ordres qu'avec une certaine hésitation et il était mal noté; les deux lettres qui suivent nous renseignent très suffisamment à cet égard: l'une émane de Destre et fut écrite le 2 juin 1801 à l'abbé Faraud pour le prier d'excuser auprès de l'évêque le peu d'application et l'humeur de son filleul:

«...Vous m'avez offert vos services auprès de M. l'Évêque: je vous prie de lui dire que je supplie Sa Grandeur de me confier la conduite de l'abbé Dumont qui ira de temps à autre lui présenter nos regrets lorsqu'il sera visible. Je connais son caractère. En lui parlant avec douceur et sans tracasserie il exercera son ministère à ma satisfaction et à celle de beaucoup de fidèles qui l'ont regretté quand il a été obligé d'abandonner ses fonctions et qui me demandent depuis longtemps quand ils le verront et l'entendront à l'autel et au confessionnal[96]. Pour que je puisse le déterminer, il faut que je puisse lui dire qu'il n'aura affaire qu'à M. l'Évêque et à moi. Je ne lui dirai de dire la messe que quand il se croira disposé. En attendant, j'espère que le Seigneur me donnera des forces. Il y a bientôt quarante ans que je sers cette paroisse, il me ferait bien de la peine d'y voir le service divin interrompu.

«Monseigneur m'a permis et à l'abbé Dumont d'user des pouvoirs qu'il s'est réservés et il m'a recommandé d'en user largement. Sans doute il l'a aussi recommandé à l'abbé Dumont: nous tâcherons de remplir ses instructions...»

L'abbé Faraud, qui savait évidemment à quoi s'en tenir sur Dumont, fit parvenir à l'évêque la lettre de Destre qu'il accompagna de celle-ci:

Ce mercredi matin 3 juin 1801.

«Voici, Monseigneur, une lettre du curé de Bussière qui serait probablement insolente si elle n'était essentiellement bête.

«Nous avons pensé, puisqu'il annonce que pour ce qui le concerne ainsi que M. Dumont il ne reconnaît que ce qui émane directement de vous, qu'il fallait que vous prissiez la peine de lui répondre, et j'ai l'honneur de vous envoyer la réponse que nous estimons devoir lui être faite. Si vous daignez l'approuver, auriez-vous la bonté de la signer et de me la renvoyer pour que je la fasse parvenir à son destinataire?

«M. Dumont est une espèce de houzard qui dans les temps ordinaires aurait été paralysé. Attendu le besoin qu'on a d'ouvriers, il faut bien se résigner à l'employer, mais non à Bussière et dans les environs où sa conduite a été scandaleuse et ses jactances plus scandaleuses encore[97].»

Mais Monseigneur Moreau qui gardait sans doute quelque souvenir à son ancien protégé et connaissait les causes de son humeur, le conserva à Bussière où il demeura jusqu'à sa mort.

Ces révoltes et ces crises de découragement étaient fréquentes chez l'abbé Dumont et, pour le ramener, on voit les moyens qu'il fallait employer: «lui parler avec douceur et sans tracasserie, ne lui faire dire la messe que quand il se croyait disposé». Ceci confirme tout ce que Lamartine a dit de sa nature hautaine et intraitable, et nous savons encore qu'il la garda toujours, puisqu'on en retrouve la trace dans ses registres où son écriture élégante et aristocratiquement saupoudrée de paillettes d'or contraste étrangement avec les grossières signatures de ses prédécesseurs.

En 1803, il écrit: «Pie VII, souverain-pontife, est arrivé à Mâcon le lundi 22 avril.—*J'ai baisé sa mule*. Le clergé romain qui le suivait était mis salement.» Ce sont là toutes les réflexions que lui suggéra l'arrivée du pape accueillie en France avec tant d'allégresse par le clergé, qui y vit le triomphe définitif de la religion catholique. Lui-même a souligné les mots: «j'ai baisé sa mule», comme s'il s'en étonnait, et les manières de gentilhomme dont a parlé

Lamartine se retrouvent dans la brève épithète qu'il applique à la suite du Saint-Père.

Enfin, en octobre 1812, l'abbé Dumont, plus déconcertant que jamais, se fit affilier à la loge franc-maçonnique de Mâcon, la Parfaite Union, et le 17 décembre il fut reçu *maçon*[98]. À quelle nouvelle déroute morale était-il donc en proie, lui royaliste et prêtre, pour s'unir au parti du libéralisme et de la libre pensée? Lamartine n'a-t-il pas voulu l'en excuser lorsqu'il écrivait: «Son âme était un chaos comme la société nouvelle, lui-même ne s'y reconnaissait plus».

À tout cela, il faut ajouter que l'abbé Dumont avait conservé des habitudes de dépense et de luxe qui cadraient mal avec ses humbles fonctions. Dans toutes les lettres que Lamartine lui adressa et qui figurent dans la *Correspondance*, on voit qu'il ne s'agit que d'argent: «J'espère aller à la fin de l'automne vous délivrer de vos huissiers...» «Permettez-moi de vous offrir une seconde petite offrande de cent écus pour vous remettre à votre courant...» Et ceci, plus significatif encore: «Ma mère m'a informé de vos embarras que je prévoyais bien tôt ou tard devoir vous accabler, mais il y a remède: vous auriez dû, au lieu d'attendre l'huissier, m'écrire: Je dois tant à tels et tels, à telle époque...» La lamentable correspondance se poursuivit jusqu'au dernier jour: «Je continuerai mon petit supplément, vos dettes seront payées peu à peu...» «Dites à tous vos créanciers à qui j'ai signé vos petits billets qu'à mon arrivée à Saint-Point ils pourront les apporter et seront payés[99]...»

Et ce n'était pas pour le bien de ses paroissiens que l'abbé Dumont se ruinait ainsi; il aimait le luxe et avait meublé sa petite maison, toute pleine de douloureux et charmants souvenirs du passé, comme un nid d'amoureux plutôt que comme une cure de campagne. On a déjà vu qu'à sa mort on vendit des objets de valeur, et voici une épître en vers adressée par M. de Montherot à Lamartine son beau-frère, et où l'on trouve un passage qui éclaire encore la situation obérée de l'abbé:

Ainsi, pour commencer, parlons de nos affaires,
Ou de celles, plutôt, du curé de Bussières:
Donc ce pauvre pasteur qu'un déficit chargeait
Verra, grâce à vos soins, s'éclaircir son budget.
Vous avez bien raison: pour une faible somme,
Il est doux d'assurer le repos d'un brave homme.
Qu'il le doive à nous deux ou plutôt à nous trois;
Votre mère fait mieux que vous et moi, je crois.
La douleur s'adoucit au miel de sa parole,
Nous donnons des écus, elle plaint et console;
À la reconnaissance elle a bien plus de droits.

J'ai ri de bien bon cœur, je l'avoue, à la liste
De tous les créanciers qu'il traînait à sa piste:
Entre autres y figure un marchand d'objets d'arts,
Trésors qui de l'abbé fascinaient les regards,
Des tableaux, des émaux....—Ah! que ma cheminée,
Pour quatre ou cinq cents francs, paraîtrait bien ornée!
Mais je ne les ai pas, ces quatre ou cinq cents francs!—
—Je vous ferai crédit, vous paîrez dans quatre ans.—
Et voilà, pauvre abbé, voilà comme on s'enfonce!
—Et voilà justement comme mon pauvre Alphonse,
Dit votre bonne mère, autrefois calculait:
Il avait à Paris cheval, cabriolet,
Lorsque 1 500 francs étaient, pour une année,
La somme à l'étourdi par son père donnée[100]!

Mais, malgré l'inépuisable cœur de Lamartine, l'abbé Dumont s'endettait toujours. À sa mort, il laissait un passif de 4 252 francs qui ne fut pas entièrement liquidé par la vente publique de ses meubles, d'autant qu'il avait déjà pris soin de distraire l'argenterie de sa succession pour la remettre à son frère, huissier à Mâcon, en lui recommandant bien de répudier l'héritage.

La vie de l'abbé Dumont que nous venons seulement d'esquisser ici, mériterait d'être étudiée plus complètement le jour où les archives épiscopales d'Autun seront classées et ouvertes au public. Comme l'a dit Lamartine, il fut le modèle secret de *Jocelyn*, et surtout joua un rôle très grand dans la jeunesse du poète.

Nous savons qu'en 1798, lorsque le culte fut rétabli à Bussière, Destre et Dumont ouvrirent une petite école pour les enfants du pays. Lamartine y fréquenta trois ans—, sa mère l'a mentionné plus tard,—mais ces leçons furent insignifiantes.

Par la suite il apprit à mieux connaître son ancien maître et la façon dont il en a parlé dans toute son œuvre prouve que de 1810 à 1820, pendant les longues années qu'il passa à Milly et à Mâcon en proie à un accablant malaise moral, le curé de Bussière fut son confident habituel et connut tous les détails de cet état d'âme maladif que reflète la *Correspondance*. Sans doute le prêtre sans vocation reconnut-il un peu de lui-même dans cet adolescent inquiet, tour à tour dévoré par l'activité ou meurtri par la lassitude: toutes ses aspirations lointaines, tous ses rêves de jeunesse, ses élans, ses rêves brisés vécurent à nouveau devant ses yeux. De là cette intimité étroite, ces confidences de part et d'autre, transcrites par Lamartine avec tant de fidélité.

Plus tard, en mémoire de ces heures communes, le poète adoucit le plus qu'il put l'existence pénible de l'abbé Dumont. Il le reçut à Saint-Point, l'invita à Paris, le fit participer à toutes ses joies, à toutes ses douleurs, et consacra enfin sa mémoire par un poème où revit, purifiée et grandie, la misérable vie du pauvre curé de Bussière. La réalité, pourtant, fut autrement tragique et émouvante.

Peut-être Stendhal en eût-il tiré un merveilleux dénouement pour la vie de *Julien Sorel.* Mais les choses sont ainsi: deux œuvres romantiques qui pourraient passer, l'une pour le type parfait du roman psychologique, l'autre pour celui du roman d'imagination, eurent pourtant un thème commun; bien mieux, celle du poète eut seule un modèle vivant.

CHAPITRE II

L'INSTITUTION PUPPIER

(2 mars 1801-17 septembre 1803)

L'abbé Dumont donna à Lamartine ses premières leçons de français et de latin; mais au début de 1801, soit que ses allures aient fini par inquiéter la famille, soit que l'enfant devenant, comme il l'a dit, de plus en plus impétueux et avide de liberté, les siens aient décidé de mettre fin à cette existence demi vagabonde et paysanne, on résolut à Milly de le mettre en pension.

La mère, inquiète de s'en séparer, objecta ses dix ans, sa constitution délicate; il lui fallut pourtant s'incliner comme toujours devant les volontés de son beau-frère qui lui opposa, paraît-il, «le bien» de son fils.

Il existe un petit portrait de Lamartine à dix ans[101]: c'est un bel enfant joufflu et solide, ébouriffé par ses courses dans la montagne, et qui respire la santé; il paraît évident que l'existence au grand air lui a pleinement réussi, et les craintes maternelles ne semblent pas très justifiées.

Il fallut alors s'occuper de lui trouver une pension. Les maisons d'éducation ne manquaient pas à Mâcon, et l'enfant n'y aurait guère été dépaysé; mais les Lamartine tenaient sans doute à modifier complètement le système adopté jusqu'ici par sa mère, puisqu'ils firent choix d'une institution à Lyon, et d'ordre tout à fait secondaire. Mme de Lamartine, triste d'abord de voir son fils si loin d'elle, se consola en pensant qu'il serait surveillé de près, car elle comptait à Lyon de nombreux parents et amis, entre autres Mme de Roquemont, sa cousine germaine, qui devint la correspondante du petit Alphonse et se chargea de faire régulièrement parvenir de ses nouvelles à Milly.

On manque de renseignements précis sur la pension de la Caille, située dans un faubourg de Lyon, la Croix-Rousse, où fut interné l'enfant. Elle était tenue par deux vieilles filles, les demoiselles Puppier, aidées par leur frère, et semble n'avoir été qu'une très modeste institution où l'on prenait de jeunes enfants dont les parents habitaient la campagne. Dans son journal, Mme de Lamartine l'appelle «d'Enfance», constate qu'elle paye, pour son fils 420 francs par trimestre, mais n'en parle pas autrement. Pour Lamartine, il n'y a qu'à se reporter à ses Mémoires[102] pour voir le dégoût profond qu'il conserva toute sa vie de l'heure où il fut «lancé dans ces cours comme un condamné à mort dans l'éternité». Avec l'horreur de la contrainte qu'on lui connaît, on peut croire à la sincérité des sentiments qu'il a exprimés cinquante ans plus tard en rappelant cet odieux souvenir.

On sait par sa mère qu'il entra à l'institution Puppier le 2 mars 1801, mais les nouvelles qu'elle recevra de lui ne commencent à être enregistrées par elle qu'en juillet, époque où s'ouvre le *Journal Intime.* Pourtant, une lettre de M. Dareste à sa cousine datée du 30 mars, supplée à cette lacune et constitue un excellent bulletin de début.

«Nous allâmes avant-hier dimanche avec M. de Roquemont rendre une petite visite dans sa pension à M. Alphonse. Nous le trouvâmes très gai et bien en train de s'amuser; il nous a paru content et l'on est aussi content de lui; nous assistâmes à leur dîner. Ils paraissent très bien dans cette pension et les demoiselles Puppier nous ont promis de nous le confier quelquefois cet été: nous irons le chercher, mais ce ne sera que les jours de congé[103].»

Les nouvelles qui suivent sont satisfaisantes: en juillet c'est un «bon et aimable enfant», et Mlle de Lamartine, au retour d'un petit séjour à Lyon, «rapporte tout plein de bien d'Alphonse». Il est gai, appliqué et apprend facilement, écrivent les maîtres de leur côté; mais tout cela ne concorde guère, trouve-t-elle, avec ses lettres qui sont tristes et navrantes. Le père alors, profite d'un voyage d'affaires pour s'arrêter à Lyon vers la mi-juillet: il le trouve «pâle et maigre», étiolé par l'air de la ville. Pourtant, on est toujours très content de lui, à la pension: «Il fait tout ce qu'il peut et peut tout ce qu'il veut, ont dit ses maîtres à mon mari», constate la mère avec quelque fierté. Mais elle s'inquiète encore de sa santé et le laisse sans doute trop entendre, car les lettres de son fils se font de plus en plus désespérées. Il supplie qu'on le rappelle à Milly, et, prétend-il sombrement, il a «grand besoin de venir».

«Je tremble, écrit Mme de Lamartine le 17 septembre, de le voir arriver pâle et maigre et en mauvaise santé.» Devant ses instances, son beau-frère consentit à avancer la date des vacances et, à la fin du mois, elle put elle-même aller le guetter sur la route de Lyon.

Toutes ses craintes tombèrent en le voyant et elle devina vite la petite ruse dont il s'était servi pour l'apitoyer, puisqu'elle écrit le 19:

«La diligence est arrivée hier beaucoup plus tard que d'ordinaire, et le cœur me battait en pensant que dans quelques heures je reverrais mon cher enfant; il faisait presque nuit. Enfin elle arriva, avec mon Alphonse que je trouvai en très bonne santé, grandi, engraissé et fort bien; il me paraît qu'il n'a rien perdu pour la piété: c'était là toute ma crainte, et je vais faire tout ce qui dépendra de moi pendant son séjour ici pour fortifier ce sentiment dans son cœur.»

L'enfant, d'ailleurs, retrouva toute sa gaieté à Milly où il demeura jusqu'à la mi octobre. La famille s'amusait, après six mois d'absence, de le trouver changé et réfléchi. «À dîner, note un jour Mme de Lamartine, nous parlâmes beaucoup de lui, trop peut-être; nous lûmes un extrait de sa façon et une petite composition que son père lui avait donnés à faire; l'on fut très content et mon orgueil bien flatté.» «Je suis bien heureuse de son intelligence, ajoute-t-elle encore; j'ai à lui reprocher pourtant de manquer de douceur, vis-à-vis de ses sœurs surtout, et je craindrais qu'il n'eût le caractère un peu dur s'il ne se corrige pas.»

Aussi s'efforcera-t-elle de ne pas lui laisser reprendre les habitudes d'autrefois, en le retenant le plus possible près d'elle par des lectures et des causeries; comme il est plus grand, elle abordera même des ouvrages sérieux, *Télémaque*, quelques passages de Bossuet et les traités d'éducation de Mme de Genlis. Le 15 octobre, elle le ramena enfin à Lyon, où elle demeura près d'une semaine, en allant chaque jour l'embrasser pour qu'il ne passât pas trop brusquement de la vie de famille à l'internat.

La seconde année scolaire (novembre 1801-septembre 1802) fut encore excellente; le 25 février 1802, il assista à la grande revue donnée en l'honneur du Premier Consul et cette récompense était méritée, paraît-il, par 18 exemptions. À la fin de septembre, il écrivit triomphalement à Milly pour annoncer qu'il avait remporté deux prix de latin et de français; M. Puppier confirmait, mais ajoutait qu'il en aurait eu un troisième «sans une vivacité qui lui a fait déchirer sa copie de thème parce qu'on le pressait un peu pour la donner».

De fait, il était très énervé et soupirait après Milly dans toutes ses lettres. Il y arriva le 15 septembre et l'on partit bientôt pour Saint-Point, d'où Mme de Lamartine écrivait le 2 octobre: «Je suis ici depuis hier avec Alphonse, Cécile et Eugénie, et ce voyage leur a fait un extrême plaisir. Alphonse est venu à cheval sur son âne, il était comblé de joie.»

Les vacances s'écoulèrent paisiblement en compagnie de l'abbé Dumont qui, venu pour passer quelques jours au moment de la chasse, fut émerveillé des progrès de son ancien écolier. Mais après deux mois de liberté où l'amour de l'indépendance s'affirmait sans cesse chez l'enfant, à la grande inquiétude de la mère, le retour à Lyon fut déchirant. Une dernière fois, il implora qu'on le gardât et, devant le refus du père et de l'oncle, il partit «sombre et renfermé», ce qui acheva de désespérer la pauvre femme.

Ses pressentiments étaient justes. La pension Puppier devint, cette fois pour tout de bon, insupportable à un enfant dont l'imagination commençait à s'éveiller et qui jusqu'ici avait montré une nature assez décidée. Le 9 décembre 1802, deux mois à peine après avoir quitté Milly, il s'enfuit avec deux camarades, les petits de Veydel; on les rattrapa quatre heures après sur la route de Mâcon. Les détails de cette évasion sont plaisamment rapportés par Lamartine, mais rappellent curieusement un épisode des *Confessions* de Jean-Jacques.

Faut-il croire à ce pugilat entre un professeur et l'élève Siraudin? faut-il croire à cette arrivée des domestiques et des cuisiniers, armés de broches et de pelles, et qui mirent ainsi fin au combat en contraignant Siraudin à la retraite?

De même, le massacre d'une oie vivante où tous les élèves furent conviés à tour de rôle acheva-t-il de décider à la fuite l'enfant «encore frémissant d'horreur» de la bataille qui venait de se livrer en classe? Pauvres excuses en vérité, et n'eût-il pas mieux valu avouer qu'il était simplement avide de grand air et de liberté? Sa mère, d'ailleurs, a noté l'escapade—qu'elle excuse presque—en des termes qui laissent entendre que la conduite de son fils laissait depuis longtemps à désirer, et qu'il n'eut pas besoin de tant d'incidents pour motiver sa décision; on lit en effet le 15 décembre:

«Le 11, nous reçûmes des lettres de Lyon ou on nous apprenait qu'Alphonse s'était en allé de sa pension avec MM. de Veydel qu'il a engagés dans sa fuite; on les a rattrappés à Fontaines. Cette faute nous a fait la plus grande peine parce qu'elle a été précédée et suivie de plusieurs autres et soutenue avec beaucoup d'orgueil, ce qui m'afflige très fort. J'attends avec impatience de ses nouvelles, j'ai un grand désir de le savoir relevé de cette chute; son caractère d'indépendance m'effraye, et je crains beaucoup de l'avoir gâté.»

Trois jours après, l'enfant écrivit spontanément une lettre de regret, c'est du moins la version du *Journal intime*; dans le *Manuscrit de ma mère*, on lit au contraire: «On a eu de la peine à lui faire écrire une lettre d'excuse et de repentir à son père». «Ainsi, tout est réparé», ajoute Mme de Lamartine avec soulagement en transcrivant cette nouvelle. Pourtant, il continuait à implorer son père de le laisser revenir, arguant que depuis sa fuite il était mal vu de tous. On convint, pour ne pas sembler lui donner raison, de laisser s'achever l'année scolaire et, si les choses n'étaient pas alors oubliées, de le changer d'établissement.

Mais, jusqu'à la fin de l'année, l'enfant continuera d'envoyer des lettres désespérées et suppliantes dont Mme de Lamartine a transcrit les passages les plus inquiétants pour elle; visiblement, il essayait d'apitoyer sa mère qu'il savait faible sur le point de sa santé. À l'en croire, il était incapable de travailler, toussait et se sentait sans forces, ce qui ne l'empêcha pas de remporter en fin de classes un grand prix de français, un prix de latin, un prix d'histoire et un accessit de dessin. Peut-être les Puppier avaient-ils été un peu indulgents dans l'espoir de le réconcilier avec la pension, mais rien n'y fit. Dès son retour à Milly, l'enfant, dont la sensibilité était déjà très délicate, raisonna avec beaucoup de bon sens, objecta à son père que depuis son escapade il était demeuré gêné vis-à-vis de ses maîtres et de ses camarades et, mettant comme toujours sa mère avec lui, obtint presque aussitôt la promesse qu'il ne retournerait plus à Lyon.

Mme de Lamartine, qui n'aimait guère les Puppier, s'était déjà mise depuis six mois en campagne pour les remplacer; en février, alors qu'elle était à Rieux chez sa mère, elle lui avait demandé conseil et Mme Des Roys, qui datait d'une époque où les enfants comptaient fort peu, avait indiqué un collège de

Jésuites à Radstadt. Sa fille, comme on peut le penser, ne voulut pas en entendre parler. Plus tard, il fut un instant question de Roanne et en mai elle se rendit tout exprès à Beaune pour se renseigner elle-même sur un lycée dont on lui avait parlé, «mais, dit-elle, il ne me plut pas infiniment». Elle crut avoir trouvé en apprenant qu'un bon collège allait s'ouvrir à Cluny: «J'espère que nous y mettrons Alphonse, écrira-t-elle aussitôt, cela me fera grand plaisir». On devine pourquoi: Cluny étant à quelques kilomètres de Milly, elle aurait ainsi son fils tout près d'elle. C'est ce que l'oncle voulait éviter.

Au début de septembre enfin, des amis qu'elle avait mis au courant de ses recherches lui parlèrent du collège de Belley en Dauphiné et qui venait d'ouvrir ses portes. Malgré l'éloignement, elle fut aussitôt séduite par cette idée et elle a noté le 6 septembre dans son journal:

«J'espère que mon mari consentira à mettre Alphonse à Belley où je désire fort qu'il soit parce que le collège est tenu par les Pères de la Foi, institution à l'instar de celle des Jésuites, et où les principes sont excellents. Dieu me fasse la grâce que mon enfant soit chrétiennement élevé, je sacrifierai à cela toutes les sciences de ce monde; mais dans ce collège on réunit tout, excepté peut-être la perfection des arts d'agrément.»

Ses renseignements pris, elle fit part de sa découverte à la famille et, le 18 septembre, obtenait son consentement. Le jour même le chevalier écrivit à Belley, un peu malgré son fils tout à l'espoir qu'on le garderait à Milly; l'idée d'être emprisonné à nouveau, et plus loin encore que Lyon, le chagrinait beaucoup et tout au plus se résignait-il à Cluny. La mère ébranlée commençait à hésiter; mais il était trop tard: François-Louis ne voulait pas de Cluny, et une réponse affirmative de Belley parvint à Milly le 25.

Mme de Lamartine se décida alors à accompagner son fils. «Mon mari, dit-elle, ne se soucie pas de voyager et je serai bien aise de voir le lieu où mon enfant sera; il me semble que je sens moins vivement notre séparation lorsque je le conduis moi-même.» Ils se mirent en route le 24 octobre pour arriver à Belley le 26 à deux heures de l'après-midi.

Elle note le lendemain: «Mon voyage a été heureux et pas trop pénible; je n'ai pas pu écrire en route à cause d'Alphonse avec qui je causai et me promenai. Je viens de remettre ce cher enfant entre les mains des Pères de la Foi qui ont l'air de bien dignes gens. La maison est superbe, le pays est beau aussi; le chemin pour y arriver est fort extraordinaire: depuis Ambérieu l'on suit une gorge de montagne qui est vraiment curieuse. Ce matin j'ai été à la pension et j'ai été fort aise de voir Alphonse. Il m'a dit qu'il était content.»

Après un bref séjour de quarante-huit heures, Mme de Lamartine reprit le chemin de Milly. La séparation n'avait pas été trop pénible, grâce à elle: «En passant une dernière fois devant la pension, dira-t-elle, j'ai vu les écoliers qui jouaient dans la cour. Je n'ai fait aucun signe à Alphonse qui ne s'est pas approché, heureusement.»

CHAPITRE III

LE COLLÈGE DE BELLEY

Le collège de Belley où l'enfant fera les seules études régulières qu'on lui connaisse, et pendant quatre années seulement, avait été fondé au milieu du XVIIIe siècle par lettres patentes du 10 février 1753 enregistrées en parlement de Dijon. Ses constructions furent achevées en 1764 et l'évêque de Belley confia l'organisation des études à la congrégation des chanoines réguliers de Saint-Antoine.

En 1790, ceux-ci furent remplacés par les Joséphistes et, jusqu'en 1792, l'établissement fut très florissant. À cette date, la plupart des pères refusèrent le serment à la constitution civile du clergé et le collège disparut. Il rouvrit en 1802 sous la direction des Pères de la Foi, qui rétablirent entièrement les locaux ruinés par la Révolution et ouvrirent leurs classes à la fin de janvier 1803. Comme le collège fut à nouveau fermé, et cette fois définitivement, au début de 1809, on voit que le séjour de Lamartine à Belley coïncide à peu de chose près avec son éphémère existence sous la direction des pères de la Foi.

Dans son journal Mme de Lamartine nomme Belley, «un établissement à l'instar de ceux des Jésuites»; Lamartine, et après lui la plupart de ses biographes, ont simplifié en parlant seulement de Jésuites. C'est la mère qui a raison, puisqu'on sait que la Compagnie de Jésus ne fut rétablie qu'en 1814. Toutefois, si les Pères n'étaient pas officiellement des Jésuites, on les désignait en réalité sous ce nom, car leurs doctrines et leurs principes d'éducation étaient identiques à ceux de l'Ordre; la société des Pères de la Foi, fondée en 1799 en Autriche, était en effet le résultat d'une fusion entre deux filiales des Jésuites: celle du Sacré-Cœur de Jésus créée en 1778 et celle de la Foi de Jésus qui datait de 1797.

La congrégation des Pères de la Foi profitant de l'apaisement qui commençait à renaître en France vint fonder en 1802 plusieurs maisons d'éducation entièrement conçues d'après les plans des anciens Jésuites, au nombre desquelles figurait le collège de Belley. Très protégé au début par le cardinal Fesch, oncle de Napoléon, ce ne fut pourtant qu'au prix de mille difficultés qu'il put prolonger son existence jusqu'au début de 1809, tant l'hostilité était alors générale contre l'enseignement des Jésuites et, finalement, Fouché obtint de l'Empereur un décret de dissolution.

Au moment où Lamartine entrait à Belley, l'établissement était loin d'être à son apogée; il connut sa plus belle année en 1806, mais dès 1803 une centaines d'élèves y fréquentaient, Italiens pour la plupart ou Français de Savoie et de Dauphiné.

Lamartine a, paraît-il, laissé une description fidèle du collège et du décor magnifique de Belley[104] dont on verra plus loin l'indéniable suggestion sur sa pensée. Quant à ses maîtres, nous en sommes uniquement réduits à ses souvenirs pour connaître leurs noms et leurs fonctions.

C'était d'abord le père Debrosses[105], supérieur, «qui n'était pas homme de premier mérite mais de première vertu»; le père Jenesseaux[106], économe de la maison, «vêtu moitié en religieux, moitié en mondain» et toujours en route «sur un cheval qui le portait dans tous les pays»; le père Varlet[107], qui cumulait, paraît-il, les fonctions de confesseur et de professeur de rhétorique, «savant homme de la nature des anciens moines»; le père Demouchel[108]; le père Wrindts[109], professeur de sciences, «enfant amoureux de Mirabeau, qui se nourrissait d'illusions tendres et féminines», mais dont Lamartine n'a pas dit ce qu'il enseignait.

C'est surtout le père Béquet[110] qui fut le véritable professeur de Lamartine, puisque le jeune homme suivit ses cours de belles-lettres de 1803 à la fin de 1807. Ici encore même absence de détails chez Lamartine: un portrait vague et un peu fade dont on ne peut tirer rien de bien précis: «Prêtre de bonne compagnie et d'estimable caractère,... regard fin et doux, parler gracieux;... ses corrections étaient celles d'une mère...»: Mais aucun de ces traits vivants et que l'on devine exacts par lesquels il peignait en peu de mots ceux qui jouèrent un rôle dans sa jeunesse, comme l'oncle de Montceau ou le bon M. de Valmont. C'est que la véritable influence de Belley ne fut pas celle de l'éducation qu'il y reçut: les Pères de la Foi ne vivaient pas dans sa mémoire comme personnalités, et leur souvenir se confondait en lui avec celui des heures d'extase religieuse et de quiétude qu'il connut au collège.

Lamartine entra à Belley le 27 octobre 1803 et en sortit définitivement, le 17 janvier 1808. Comme il soutint sa thèse de philosophie en septembre 1807, on peut en déduire qu'il débuta par la troisième (novembre 1803-septembre 1804), fit sa seconde de 1804 à 1805, et sa rhétorique de 1805 à 1806. Quant au premier trimestre de l'année scolaire 1807-1808, on ne sait trop ce qu'il devait y travailler: peut-être quelques études préparatoires de droit et de mathématiques.

Il est difficile, dans les souvenirs de Lamartine sur Belley, de faire la part de l'imagination et celle de la réalité. Là, plus peut-être que partout ailleurs, on sent l'idéalisation constante des hommes, des lieux et des choses. Aucun détail sur ses classes, mais de curieuses généralisations sur son état d'âme et, pourrait-on dire, sur l'atmosphère de Belley; précieux document psychologique dont nous essayerons plus loin de fixer la valeur et la portée. Aussi les seules précisions que nous puissions rencontrer sur les études de Belley, puisque la *Correspondance* ne commence qu'en 1806 et ne comprend d'ailleurs que quelques lettres de vacances, sont empruntées au *Journal intime* où Mme de Lamartine a transcrit soigneusement les nouvelles et les bulletins.

Les premiers temps furent pénibles et la mère n'enregistre guère que des doléances dont elle s'émeut. Visiblement l'enfant était dépaysé et cela tendrait peut-être à confirmer ce qu'il a raconté: les pères, paraît-il, «d'essayèrent» de classe en classe pour connaître sa véritable force; mais il était difficile de le mesurer au juste, «la raison était précoce, l'attention inégale». Finalement on le fixa en troisième, «cette classe indécise où l'on peut être encore un enfant dans l'étude des langues et un homme de goût dans la rhétorique».

Il ne semble, d'ailleurs, pas qu'il ait fait grand chose de bon cette année-là. Au début de mai, il entra à l'infirmerie avec une forte fièvre, puis ce furent des maux de tête qui d'après les pères arrêtèrent ses études et les inquiétèrent même un moment. À la fin d'août, la pauvre mère n'y tint plus et partit pour Belley chercher son fils. «J'ai revu mon Alphonse, écrit-elle; il était dans la cour du collège quand je suis arrivé; il a été fort saisi en me voyant et est demeuré si pâle que cela m'a bien inquiétée.» Sa santé était toujours mauvaise; une croissance trop rapide l'avait beaucoup affaibli et ses douleurs de tête étaient encore violentes.

La veille du départ, elle assista à la distribution des prix, le cœur un peu gros, car son fils n'eut que deux accessits; elle se consola pendant la petite comédie qui termina la cérémonie, où il joua le rôle d'un avocat, dont il se tira «fort bien». Puis elle causa avec ses professeurs, et le résultat de cette conversation fut «tout à fait satisfaisant»; on reprochait à l'enfant un peu de légèreté, mais tous l'aimaient, et l'on était «assez content» de ses études.

Le 6 septembre, tous deux quittèrent Belley après un dîner très gai à l'auberge en compagnie de deux amis que Mme de Lamartine ne nomme point, mais qui doivent être Virieu et Guichard[111]. Le 18, ils étaient à Saint-Point où les vacances s'écoulèrent paisiblement avec l'abbé Dumont et M. de Vaudran, venus s'y établir pour la chasse. L'oncle gronda bien un peu devant les flâneries et l'indolence du neveu, mais la mère objecta que les vacances seraient courtes et qu'il lui fallait ménager sa santé. Le 7 octobre, il quitta Mâcon avec son camarade Corcelette et le 10 se retrouvait à Belley.

Deux jours après parvenait à Milly le premier bulletin que Mme de Lamartine a résumé ainsi: «Il en résulte que la nature, ou plutôt la Providence, a tout fait pour lui, mais qu'il ne répond pas comme il devrait à tous ses bienfaits: il est dissipé, paresseux; mais je ne veux pas transcrire ici ce bulletin. Je le garde pour qu'il le voie quand il sera grand.»

L'année de seconde ne fut guère meilleure, car ses études se ressentirent souvent d'une maladie nerveuse dont les pères ne savaient que penser; au début d'août ils conseillèrent même à sa famille de le rappeler avant les vacances, qu'il passa d'ailleurs presque entièrement au lit. Le 6 novembre, enfin, un peu remonté, il regagna le collège.

Les premières nouvelles de 1806—l'année de rhétorique—ne furent pas plus fameuses: en février, le père Béquet écrivit qu'il était «fort peu sage et appliqué depuis les vacances» et qu'elles lui avaient fait beaucoup de tort. Le second trimestre fut meilleur: l'on est plus content de lui, note Mme de Lamartine; il a paru avec succès aux exercices de Pâques et il a eu un témoignage de diligence et un accessit de distinction; et, continuant de mériter les éloges qu'on lui décernait, il arriva à Mâcon le 17 septembre, chargé de prix: amplification française, amplification latine, vers latins, second prix de version latine, et celui dont la mère est peut-être la plus heureuse, le prix de sagesse «d'après le jugement de ses maîtres et l'approbation de ses condisciples[112]». Sa santé aussi était excellente: «Il est plus grand que moi de deux pouces, écrit la mère, quoiqu'un peu maigre, mais pas du tout à inquiéter, il est fort, le teint est bon et il a fait de grands progrès dans la vertu. C'est d'ailleurs un enfant charmant, conclut-elle ingénument transportée; il est malgré cela fort modeste et ce qui me fait le plus de plaisir c'est qu'il paraît avoir beaucoup de piété.»

Les vacances s'écoulèrent à Milly, et à Pérone chez la tante du Villard, à Montceau chez l'oncle terrible. Le 4 novembre il abandonna ses douces rêveries et arriva à Belley le 7, après s'être arrêté vingt-quatre heures à Lyon chez sa tante de Roquemont[113].

Les classes de philosophie furent satisfaisantes, et sa nature entièrement assouplie s'accommoda merveilleusement de l'enseignement des pères; en février ceux-ci soulignaient sa maturité précoce et sa douceur en même temps que leur excellent résultat au point de vue des études: en récompense, ils le nommèrent bibliothécaire du collège. Mme de Lamartine s'en réjouit car, dit-elle, «cela l'occupe utilement et c'est une marque de confiance».

Nous avons quelques détails sur l'enseignement du père Wrindts, qui professait la philosophie au collège de Belley: en effet, son cours, copié alors par un condisciple de Lamartine, Jules Jenin, existe encore aujourd'hui, et le chanoine Dejey et l'abbé Rochet, qui ont pu le parcourir, l'analysent ainsi: «Sa rédaction faite en latin, écrit M. Rochet, est d'un style sobre et élégant; on voit que le père Wrindts s'est inspiré de l'enseignement que donnaient les Pères Jésuites au XVIIIe siècle; les nouveautés de la philosophie cartésienne en sont écartées et au besoin réfutées. Sur la question du concours divin, le professeur, conformément à l'opinion généralement suivie dans la compagnie de Jésus, prend parti pour le système de Molina et combat le *bannesianisme*. Au sortir de la Révolution, il était urgent de combattre les théories sociales de Rousseau: elles sont l'objet, dans l'éthique, d'une vigoureuse réfutation.»

De son côté, M. Dejey s'exprime ainsi:

«Dans les cahiers de M. Jules Jenin, il manque une partie du cours, celle où il était question de la logique formelle et des règles de la méthode. Les fondements de la certitude et la légitimité des moyens de la connaissance sont seuls traités dans la partie conservée par la famille Jenin. Bien que les cahiers du père Wrindts ne soient qu'un résumé précis, exact, écrit pour les élèves et mis à leur portée, les principales questions de la philosophie s'y trouvent exposées avec une grande hauteur de vue et une parfaite mesure. Attaché aux principes supérieurs de la doctrine, le professeur suit les grandes lignes de la philosophie spiritualiste. Il observe la plus sage prudence vis-à-vis des nouveautés mal établies et peu conformes à la nature humaine, se tenant à une égale distance des propositions hasardeuses de l'école cartésienne et des théories sensualistes de Locke et de Condillac. Sur l'accord du libre arbitre avec la grâce, le père Wrindts se conforme à l'opinion communément admise dans la compagnie de Jésus: il se prononce pour le système de Molina. Les théories sociales de Rousseau y sont vigoureusement réfutées.»

Nous avons cité ces deux fragments faute d'avoir pu prendre nous-même connaissance des cahiers; ils ont l'avantage de concorder entièrement entre eux et d'apporter ainsi la preuve que l'enseignement philosophique de Belley était fondé sur les doctrines molinistes; quant à la réfutation de Rousseau, elle n'eut sans doute pas d'autre résultat que d'éveiller au contraire la curiosité de l'enfant: quelques mois plus tard, à Bienassis, il dévorait *le Contrat social* et *la Nouvelle Héloïse.*

Le 7 septembre 1807, Lamartine soutint avec succès sa thèse de philosophie; le 16, il arriva à Mâcon, ayant fait, à l'en croire, la moitié du chemin à pied, son baluchon sur le dos et chantant «comme un troubadour[114]». Le même jour, parvenait à Milly le bulletin scolaire que Mme de Lamartine a transcrit ainsi:

«Beaucoup de choses qu'on y dit me font grand plaisir, et plusieurs autres m'effrayent infiniment. Je n'espère qu'en Dieu pour sauver ce cher enfant de tous les périls dont sa jeunesse va être entourée. On loue son esprit, sa facilité d'apprendre, son imagination, mais en même temps l'on se plaint de sa légèreté, de son extrême répugnance à une application sérieuse, et de son goût pour le plaisir. L'on ajoute que la religion qu'il aime, qu'il estime et qu'il pratique le fait vaincre ses dangereux ennemis, mais que, si elle venait à s'affaiblir dans son cœur, rien ne pourrait le préserver de la corruption.»

Ainsi, dès l'âge de dix-sept ans, les traits principaux du caractère que nous connaîtrons plus tard à Lamartine: imagination, mangue d'esprit de suite, goût du plaisir et mobilité extrême des sentiments, sont nettement indiqués par ses professeurs.

Son premier mot, au retour du collège, fut pour supplier sa mère d'obtenir qu'on le gardât définitivement à Milly, puisque ses classes étaient terminées; comme il était «extrêmement grand, mais très maigre», Mme de Lamartine, qui redoutait pour son fils le surmenage, se laissa presque ébranler. Elle se heurta au refus formel du père et surtout de l'oncle, dit-elle, qui tenaient beaucoup à le voir commencer l'étude des sciences. Il s'en consola avec assez de philosophie, dans ses lettres à Guichard, repoussant d'ailleurs autant qu'il le pouvait «toutes ces idées de collège pendant les vacances[115]».

Après un repos d'un mois à Milly, à Saint-Point, à Pérone chez la tante de Villard où on lut chaque jour en famille, d'après lui, «une ou deux comédies et autant de tragédies», après les promenades à cheval, la chasse, la lecture, la musique et le dessin qui lui firent passer le temps «fort tranquillement», il quitta Milly le 22 octobre, et regagna Belley en passant par Lyon où il s'arrêta quelques jours.

À cette date, Mme de Lamartine a noté qu'il commençait ses travaux de l'année avec répugnance et découragement. La suite des événements prouve qu'il repartait pour Belley malgré lui et très décidé à n'y plus rester longtemps. Dès son retour, ce furent de ces lettres éplorées dont il avait le secret et qui lui réussissaient toujours auprès de sa mère. À la fin de décembre, les fameux maux de tête dont il savait si bien jouer l'accablèrent à nouveau; à la mi-janvier 1808, ils devinrent «intolérables», écrit Mme de Lamartine, et il se hasarda à demander la permission du retour «au moins pour quelque temps». Ce qu'il ne disait pas mais qu'on devine bien qu'il pensait, c'est qu'une fois à Mâcon il saurait toujours s'arranger.

La mère, «bien inquiète de tout cela», s'en fut comme d'habitude implorer l'oncle terrible; celui-ci—était-ce un hasard?—venait de recevoir à point une lettre charmante du neveu; il déclara à sa belle-sœur qu'il commençait à aimer beaucoup le jeune homme et se laissa fléchir. Aussitôt elle lui fit parvenir elle-même l'heureuse nouvelle, mais exigea qu'il passât par Lyon où Mme de Roquemont, prévenue, lui ferait consulter un bon médecin. Celui-ci, qui l'examina le 26 janvier, ne lui découvrit naturellement rien de grave et diagnostiqua un peu de surmenage intellectuel: il ordonna des bains de jambes, du lait d'ânesse au printemps, «un régime doux et peu d'études applicantes»; à tout prendre c'était pour le jeune malade un agréable traitement.

Lors de son arrivée à Mâcon, le 20 janvier[116], Mme de Lamartine devina bien sa petit ruse en constatant au contraire qu'il n'était pas du tout changé et même moins maigre qu'à l'automne. Au fond, elle fut si heureuse de l'avoir auprès d'elle qu'elle n'en laissa rien voir; d'ailleurs il avait «l'air fort doux et fort sage», et c'était tout naturel puisqu'il avait quelque chose à obtenir. Habilement, profitant des bonnes dispositions de l'oncle adouci par sa conduite, il enleva l'affaire en trois jours et s'installa à Mâcon pour la fin de l'hiver, ayant obtenu, le 15 février, la promesse formelle qu'il ne retournerait plus à Belley.

Sa mère regretta bien qu'il ne terminât pas cette année d'études, d'autant qu'elle était maintenant envahie par d'autres craintes, celles de le voir livré à lui-même «dans ce temps de dissipation». Mais comme il continuait d'être charmant pour elle et plein de bonnes dispositions, elle oublia vite toutes ses inquiétudes.

Telles furent les années scolaires de Lamartine; après 1808, l'influence des Pères de la Foi, qui parvinrent à assouplir cette jeune âme rebelle, ira s'effaçant peu à peu, et le vagabondage d'esprit remplacera l'ordre et l'austérité morale de Belley: réaction normale et qui s'explique aisément puisque les tendances signalées par les maîtres et réprimées par eux vont se développer dans l'oisiveté. Ces courtes études classiques—les seules, il ne faut pas l'oublier, que fera jamais Lamartine—furent somme toute médiocres et ne dépassèrent pas la banalité courante de l'époque.

Pourtant l'influence de Belley fut profonde et décisive sur le développement de Lamartine, mais elle s'exerça par des côtés qui n'ont rien de scolaire. En effet, si les *Méditations* ont leurs sources littéraires, de courants très divers, dans la période qui s'étend de 1808 à 1817, deux de leurs sources morales, pourrait-on dire, datent du collège de Belley: et ce sont les plus originales de l'œuvre, celles qui, d'après la critique du temps, fixèrent les conditions de la rénovation poétique: poésie religieuse et sentiment sincère de la nature.

C'est à Belley que les germes laissés par la première éducation maternelle s'épanouirent complètement, aidés par un élément qu'il n'a pas manqué de souligner lui-même et qui a toute son importance chez une âme sensible et imaginative comme la sienne: celui du *décor* de la religion.

Ce ne sont plus à Belley les cloches paysannes de Saint-Point et de Milly, ni les humbles et brèves cérémonies des églises de campagne dont il ne goûtera qu'infiniment plus tard le charme et la poésie: au début, ce qui frappa d'abord le petit villageois étonné qu'il était, ce fut l'écrasante splendeur de la religion catholique et, comme il l'a dit, «des cérémonies prolongées, répétées, *rendues plus attrayantes* par la parure des autels, la magnificence des costumes, les chants, l'encens, les fleurs, la musique», et nous savons que l'évêque de Belley officia souvent dans la chapelle, que le cardinal Fesch, protecteur du collège, vint deux fois, avec un imposant et magnifique cortège de prélats.

Qu'on ajoute à cela le cadre naturel de Belley, ses forêts, ses rocs, ses torrents, et où les Pères de la Foi proclament la grandeur de Dieu sans jamais perdre une occasion de frapper l'âme par les yeux, et l'on comprendra ces heures de contemplation et de vertige moral où s'abîma l'enfant et dont la description faite cinquante ans plus tard confine presque à l'extase mystique[117].

Ainsi, au moment de la crise de l'adolescence, à l'âge où les impressions nouvelles sont décisives, Lamartine se trouvait en pleine atmosphère religieuse, dirigé par des hommes qui ramènent à Dieu tous les actes et toutes les pensées; il conservera l'empreinte ineffaçable de cette piété sincère et profonde, qu'affaibliront un instant ses premières crises morales.

Si nous n'avions sur ce point que son seul témoignage, peut-être pourrait-on le mettre en doute et n'y voir que des souvenirs littéraires, bien que chez lui les choses vécues ou senties aient des accents qui ne trompent pas. Déjà on en trouve un écho dans une lettre à Virieu où il rappelle, peu de mois après son départ de Belley, «cette pierre où nous allions prier Dieu trois ou quatre fois par jour[118]», mais sa mère, surtout, nous donne d'autres détails.

Outre les bulletins qui mentionnent, on l'a vu, sa grande piété, elle note avec joie pendant les vacances de 1806 que son fils lui donne «de nouvelles consolations, et se porte de lui-même à ses pieux exercices»; qu'en septembre 1807, au retour à Milly, il demande la permission de passer par Lyon «pour prier à Fourvières», que chaque jour il écoute avec recueillement les lectures pieuses que sa vivacité supportait mal autrefois, et, enfin, elle rapporte cette anecdote qu'il faut citer parce qu'elle est caractéristique chez un jeune homme de dix sept ans dont la timidité s'effarouche facilement.

«Avant-hier, écrit-elle le dimanche 8 octobre 1807, Alphonse eut une petite épreuve, dont il se tira fort bien. En passant à Igé, je l'envoyai faire une visite à M. d'Igé et on voulut absolument qu'il restât à dîner. Il y avait plusieurs hommes qui tous faisaient gras, mais point de maigre au premier service; Alphonse, sans respect humain, dit que sa santé ne l'obligeait pas à faire gras et on lui fit une omelette...»

On pourrait multiplier ces exemples et confirmer ainsi d'un commentaire précis les pages où Lamartine a rappelé ses ferveurs de seize ans. On peut y voir la meilleure preuve d'une empreinte très affaiblie sans doute pendant les années 1809-1817, mais dont on retrouve trace à tous les grands moments de son existence.

À Belley, Lamartine comprit par lui-même la religion qu'il avait connue par les autres, et ce fut là le véritable enseignement de ses années de collège. Sa culture intellectuelle ne date que du jour ou il fut libre d'organiser sa vie à son gré.

Peut-être même faut-il aller plus loin encore: les premiers essais poétiques de Lamartine datent de Belley ou tout au moins de l'année qui suivit son départ, et nous possédons trois de ces pièces: *le Chant du rossignol*, le *Cantique sur le torrent de Thoys*, les *Adieux au collège de Belley*[119]. À comparer ces morceaux aux pièces légères qu'il rima de 1808 à 1816, on s'aperçoit qu'ils sont si différents d'inspiration, et tellement proches au contraire des *Méditations*, qu'il est permis de se demander si ces fameuses années de fièvre littéraire dont l'influence sur la forme de son œuvre est incontestable n'ont pas détourné pendant huit ans un courant poétique déjà très net en 1807.

Certes la forme de ces trois poèmes est loin d'être parfaite, mais ils appartiennent à la même source que les grandes *Méditations* religieuses de 1819. Ce sont déjà les images larges et simples, l'accent personnel et profondément sincère qu'il ne retrouvera que bien plus tard; même, dans le *Cantique sur le torrent de Thoys*, apparaît à dix ans de distance la formule unique de sa poésie: la grandeur de l'homme supérieur à tout ce qui l'environne, parce qu'il connaît l'origine divine des choses. Et cette idée qu'on pourrait croire empruntée à Young, il est curieux de constater que Lamartine la présente sous une forme poétique à une époque où il ignore encore jusqu'au nom d'Young.

Lui-même, d'ailleurs, se rendit compte, avec son goût très sûr, que ces trois essais étaient ses premières *Méditations*: en 1821, il publia les *Adieux au collège de Belley*, et alors qu'il brûlait sans regret tous les vers de sa jeunesse, dont la *Correspondance* ne contient que quelques fragments, il conserva le *Chant du Rossignol* et le *Cantique sur le torrent de Thoys*, qu'il publia de son vivant.

Plus tard, Lamartine a rapporté ce début littéraire en le plaçant sous l'invocation de Chateaubriand[120]; c'est en effet à Belley, mais à une date malheureusement difficile à préciser, tant ses souvenirs sur ce point sont confus et contradictoires, qu'il pénétra dans le monde immense et nouveau que fut pour lui *le Génie du Christianisme*, et ce premier contact eut une telle influence sur sa pensée qu'il mérite mieux ici qu'une simple mention.

«Lorsque parut *le Génie du Christianisme*, a-t-il dit, j'étais au collège chez les Jésuites... Tout en élaguant très prudemment du livre les parties romanesques ou passionnées,... ils le laissèrent circuler à demi-dose dans leur collège. Un abrégé en deux volumes, épuré d'*Atala*, de *René*, et plusieurs autres chapitres trop remuants pour des âmes déjà émues, fut mis par eux entre les mains de leurs maîtres d'études. À titre de professeur de belles-lettres, le père Béquet posséda le premier exemplaire. Il était trop ravi pour renfermer en lui-même son ivresse et trop communicatif pour ne pas nous associer à son bonheur.» Suit le récit de cette lecture faite en classe «un beau jour de printemps».

Ces affirmations, en apparence si précises, sont en réalité inconciliables entre elles; toutefois, en écartant ce qu'elles ont de nettement inexact et en serrant quelque peu le texte, il est possible d'aboutir à une hypothèse vraisemblable.

En premier lieu, le *Génie* parut en 1802, époque à laquelle Lamartine n'était pas encore à Belley, mais à l'institution Puppier, où une lecture de

Chateaubriand faite par les deux vieilles filles à des enfants de douze ans est absolument inadmissible. Il reste donc à examiner maintenant si cette lecture peut se placer soit en famille pendant les vacances, soit à Belley, comme il l'a dit.

Or, Mme de Lamartine eut pour la première fois l'œuvre entre les mains le 19 juillet 1803, jour où elle a noté dans son journal: «Je lis un ouvrage que je trouve excellent et qui me fait grand plaisir: c'est *le Génie du Christianisme*, par M. de Chateaubriand; je crois que cet ouvrage est propre à faire beaucoup de bien, et j'en trouve le style charmant». Mais, à mesure que la lecture s'avance, les impressions changent, et elle écrit le 29 juillet: «J'ai achevé le troisième volume de *l'Esprit du Christianisme (sic)*, j'ai relu l'épisode d'Atala, je le trouve trop passionné; je crois que cela pourrait échauffer la tête des jeunes gens et, en tout, cet ouvrage qui est cependant très bon me paraît un peu trop propre à exalter l'imagination».

De ceci, il résulte que Lamartine n'a pas lu Chateaubriand pendant les vacances qu'il passa à Milly de 1804 à 1807, et pour deux motifs: le premier est que sa mère redoutait l'influence de l'ouvrage sur une jeune tête comme la sienne; l'autre, qu'il était encore incapable à cette époque de faire la moindre lecture en cachette de sa famille. Ainsi, l'hypothèse de Belley reste la seule acceptable. Il reste à examiner maintenant, d'après les détails qu'il a donnés, s'il est possible que le père Béquet ait lu en classe, à une époque à déterminer, des fragments du *Génie.*

Il a parlé, on l'a vu, de deux volumes épurés; la première édition abrégée de Chateaubriand est bien en deux volumes, mais elle est de 1808, année où il avait quitté Belley. Est-ce alors à Milly qu'il l'a lu, au retour du collège? pas davantage, car il n'eût pas manqué d'en faire part avec enthousiasme par de belles lettres à Virieu ou à Guichard. Or, la *Correspondance*, qui commence à l'automne de 1807, est absolument muette sur Chateaubriand: d'où il faut conclure que les amis s'étaient déjà tout dit sur ce sujet et n'avaient plus à y revenir. Ainsi, si le détail inexact des deux volumes épurés doit être écarté, l'hypothèse de Belley se confirme davantage.

Mais le père Béquet fut le professeur de Lamartine de 1803 à 1806 inclusivement, et c'est donc au cours de l'une de ces trois années que dut être faite la lecture de Chateaubriand, et comme en 1806 Lamartine était en rhétorique et très près de ses seize ans, il paraît infiniment probable que cette dernière date est la vraie. Au début de l'année suivante il était nommé bibliothécaire du collège et avait ainsi toutes facilités d'approfondir une découverte qui le laissait extasié.

Il est possible de s'imaginer, même aujourd'hui, l'impression causée par le *Génie* sur la jeune génération d'alors: traitant son propre cas, Lamartine l'a exposée avec beaucoup de chaleur et nombre de restrictions dont les motifs sont bien postérieurs à cette première lecture: la froideur que Chateaubriand montra toujours au disciple dont la gloire balançait la sienne, des divergences d'opinions politiques, firent qu'il atténua en partie ce jugement par des considérations générales assez vives[121]; mais il voulut bien convenir que Chateaubriand fut «une des mains puissantes» qui lui ouvrirent, dès l'enfance, les grands horizons de la poésie moderne.

Après cette lecture la curiosité intellectuelle de Lamartine s'éveilla, et le *Génie* devint pour lui une vaste encyclopédie où il puisa des notions vagues des littératures qu'il ignorait: Chateaubriand touchait à tous les sujets, à tous les genres, à tous les hommes; de là à courir aux sources, il n'y avait qu'un pas, et c'est ce que fit Lamartine. Il y a plus encore: est-il possible en effet de méconnaître les curieuses ressemblances qui existent entre l'inquiète jeunesse de René et celle de Lamartine? Comme René, il est «tour à tour bruyant et joyeux, silencieux et triste, abandonnant soudain ses camarades, pour aller s'asseoir à l'écart et contempler la nue fugitive ou entendre la pluie sur le feuillage[122]»; son âme, comme celle de René «qu'aucune passion n'a encore usée», cherche un objet qui puisse l'attacher et s'aperçoit bientôt qu'elle donne plus qu'elle ne reçoit; comme René, la solitude absolue, le spectacle de la nature le plongent dans un état impossible à décrire» et la «surabondance de vie», les «grandes lassitudes» de René, Lamartine les éprouve à chaque instant. Le chapitre du *Génie* intitulé: «Du Vague des passions» n'aura jamais de meilleur commentaire que certaines lettres à Virieu: «Plus les peuples avancent en civilisation, dit Chateaubriand, plus cet état du vague des passions augmente, car le grand nombre d'exemples qu'on a sous les yeux, la multitude des livres qui traitent de ces sentiments rendent habile sans expérience. On est détrompé sans avoir joui; il reste encore des désirs, et l'on n'a plus d'illusions. L'imagination est riche, abondante et merveilleuse, l'existence pauvre, sèche et désenchantée; on habite avec un cœur plein un monde vide et, sans avoir usé de rien, on est désabusé de tout[123].» Dans ces lignes qui résument avec une telle précision son état d'âme habituel Lamartine retrouvait les sentiments confus qui l'animaient et c'était plus qu'il n'en fallait pour l'enthousiasmer.

Ainsi, on trouve dans Chateaubriand l'âme même de Lamartine; non pas froidement analysée, mais mélancoliquement décrite et dans ses moindres nuances, avec le vague et la langueur qu'il aimait. L'adolescent mystique de Belley, enclin déjà à la rêverie et à la solitude, fut dès la première lecture soumis à l'irrésistible attrait de cette prose harmonieuse, et dominé toute sa vie par ce grand souvenir. Beaucoup de ses poèmes ne sont que du Chateaubriand mis en vers, et ce ne fut pas une des moindres causes de son succès. Et plus il avance en âge, plus l'empreinte devient saisissante: visible déjà dans les *Méditations*, elle s'affirme dans les *Harmonies*, pour s'épanouir dans le *Voyage en Orient* et certains morceaux de *Jocelyn* ou de *la Chute d'un ange.*

Qu'est-ce, après tout, que l'épopée conçue par Lamartine et dont nous possédons le plan et quelques fragments, sinon un gigantesque et poétique *Génie du Christianisme*, dont *Jocelyn* aurait été le René, *la Chute d'un ange* l'Atala et dont *les Pêcheurs*, *les Chevaliers*, *les Patriarches* devaient être le développement de certains morceaux?

Quant aux réminiscences de Chateaubriand, trop directes pour être douteuses, elles sont innombrables dans son œuvre et mériteraient une étude spéciale[124]. Mais Lamartine, avec le goût parfait qu'il apportait dans ses enthousiasmes littéraires, se garda de tomber dans la pompe et le Merveilleux chrétien de Chateaubriand; les Martyrs lui déplurent[125]; le Génie des Rêveries, les Anges de la lassitude, du matin, du mystère, du temps et de la mort le choquèrent. De Chateaubriand il ne conserva que les grandes images, la poésie mélancolique et simple des choses qui passèrent sans effort dans sa poésie avec le rythme et les nuances de la prose originale.

QUATRIÈME PARTIE

LA FORMATION DE LA PERSONNALITÉ

CHAPITRE I

LA VIE SOLITAIRE[126]

Au moment où il quittait le collège de Belley, Lamartine venait d'avoir dix-sept ans. Ses projets, qu'il formulait alors très nettement, étaient de trouver une situation[127]; mais les préjugés du temps et de son milieu ne lui toléraient guère que deux carrières: l'armée et la diplomatie.

La diplomatie, dont le côté mondain et la vie facile séduisaient peut-être sa jeune imagination, le tentait beaucoup; mais les siens, très sagement, ne l'y poussaient pas: à son âge, sans relations, sans éducation solide, c'eût été manque de raison. Pour le métier militaire, malgré les traditions de ses pères et malgré ce qu'il en a dit, il semble l'avoir eu toujours en horreur; ses parents, d'ailleurs, ne tenaient que médiocrement à le voir servir dans les armées de l'Empereur: le père, pour l'occuper, songea bien un instant à l'école de Fontainebleau, mais y renonça vite devant les supplications de sa femme qui redoutait «de danger et la licence des armées[128]». Le jeune homme qui connaissait l'aversion maternelle s'en servira dans les grandes occasions, et cette menace sera pour lui le moyen suprême d'obtenir ce qu'il désire: le jour où on lui refusera l'autorisation de faire son droit à Lyon, il déclarera aussitôt sa résolution d'entrer dans la garde impériale et, quelque temps après, alors que sa famille accueillera assez mal un projet de mariage, il écrira tout net à Virieu qu'il est prêt d'entrer définitivement au service et d'essayer de se faire tuer. En 1814, c'est plutôt par lassitude et devant les menaces de l'oncle irrité de tant de paresse qu'il se décidera à entrer dans la Garde du corps. On sait par la *Correspondance* le plaisir qu'il y prit.

Ainsi, devant les difficultés que soulevait la question d'un établissement immédiat, les Lamartine patientèrent, préférant attendre un peu plus de maturité, et le laissèrent entièrement maître d'organiser son existence à sa guise. Il en prit très joyeusement son parti et, tout à la joie nouvelle de l'indépendance, organisa un plan d'études où les arts d'agrément, musique, danse et dessin, avaient aussi leur place[129].

C'était, à l'époque, un grand garçon un peu gauche[130], rendu timide par quatre austères années de collège, et qui fuyait le monde faute d'y savoir figurer à l'aise. Il avouait à Virieu, de plus en plus son confident, qu'il était incapable de dire une chose aimable et de répondre à un compliment[131]: comme Chérubin, il était amoureux de toutes les femmes, mais n'osait guère faire un pas vers une[132]. Cette timidité farouche désolait un peu la mère, mais lui, qui sans doute en connaissait les véritables motifs, s'en consolait philosophiquement en déclarant que le temps, les voyages, l'habitude guériraient tout cela[133].

Comme suite normale de cet état d'esprit dont Belley est évidemment responsable, il se confine dans une studieuse solitude, fuit la société, déclare qu'il est «dans la jubilation» de n'être pas encore amoureux, indice qu'il est prêt de le devenir: pour lui toutes les femmes sont «de petites effrontées, impudentes, coquettes, de petites ignorantes imbéciles, malignes, médisantes, sottes et laides[134]»; son mépris pour elles croît «de jour en jour» en dépit, avoue-t-il ingénument, de la bonne envie qu'il aurait de les trouver «aimables et fidèles». Puis la philosophie s'en mêle et il déclare gravement à Guichard qu'il n'y a plus d'amour véritable dans le cœur des jeunes gens, «mais seulement un tissu de coquetteries de part et d'autre[135]».

Aussi s'occupe-t-il surtout d'organiser son existence en garçon raisonnable, et de soumettre à Virieu un plan d'études et de lectures[136]; sa mère profite alors de cette disposition, pour l'emmener de Mâcon à Saint-Point, car, dit-elle, «je ne suis pas fâchée de l'éloigner de la ville à un moment où ses seules récréations seraient des promenades le soir, fort tard, dans une société de jeunes gens dont il est impossible que l'on soit sûr: ici il est plus en sûreté et a l'air assez content[137]».

Et, de fait, ses lettres montrent quelle fut sa joie enfantine de se retrouver à Saint-Point, où il arriva le 26 mai[138]: ce furent des flâneries exquises dans les bois, des lectures sérieuses, des promenades à cheval, le tout entremêlé d'un peu de musique et de quelques délassements poétiques[139]; il sentait surtout «un redoublement d'amour pour l'étude et la poésie[140]», et sa mère avouait ne plus le reconnaître devant une telle docilité.

Mais, avec la nature insatisfaite qu'on lui connaît et dont voici peut-être la première manifestation, il se lassa vite de son nouveau bonheur, il en vint à regretter Belley où, pourtant, à l'en croire, il n'était pas heureux. «Il faut que je m'occupe beaucoup pour ne pas m'ennuyer», confesse-t-il un jour à Virieu[141], et à Guichard, qui l'enviait et lui annonçait sa prochaine libération, il écrivait tristement: «Nous te verrons dans quatre ou cinq mois commencer à t'ennuyer dans ta retraite, au milieu de tes livres, de tes bois et de tes prétendus plaisirs; tu regretteras dans peu la société de tes amis, les occupations et, que dis-je? peut-être même les peines du collège.... Tu m'en diras des nouvelles[142].» Si bien qu'à la mi-septembre il fut enchanté d'abandonner sa solitude pour se rendre à Crémieu, où Guichard l'avait invité; la mère, toujours prudente, s'arrangea pour qu'à l'aller et au retour il couchât à Lyon chez Mme de Roquemont. «Ainsi, point d'auberge, ce qui pourrait être le plus dangereux.»

C'est avec beaucoup de détails que Lamartine a rapporté ce séjour dans l'Isère, tant il en avait gardé un profond souvenir[143]: c'est en effet à Crémieu que pour la première fois il se plongea en silence «dans un océan d'eau trouble», ou, pour parler plus simplement, qu'il pénétra dans une bibliothèque bien garnie; mais il a négligé de nous donner la date exacte de cet événement si important à fixer, puisqu'en huit jours tout l'édifice élevé par les Pères de la Foi va être détruit pour longtemps. Nous savons par sa mère qu'il quitta Milly le 27 septembre 1808, et qu'il était de retour à Mâcon le 16 octobre. Il est certain que Lamartine revint en Bourgogne dans un tout autre état d'esprit qu'au départ; sa mère le constate elle-même, mais sans bien pouvoir en comprendre les motifs, et le 15 décembre elle consigne dans son Journal cette petite anecdote qui, rapprochée d'une lettre à Virieu[144] nous fait assister à une transformation très sensible de l'état d'esprit du début de l'année:

«Lundi nous dinâmes à Bussière chez M. Verset, le notaire du lieu; il y avait beaucoup de monde du voisinage, l'on fut très gai, l'on chanta, l'on fit des bouts-rimés. Alphonse fit des couplets; il a une facilité incroyable pour tout ce qu'il veut. Il est plus que jamais tourmenté du désir de faire quelque chose, ce que je désire aussi beaucoup. Quand je serai à Mâcon, je tâcherai de lui trouver quelque maître de langues; il aurait envie d'en apprendre, et je serai enchantée qu'il pût s'occuper utilement. Je suis effrayée de son retour à la ville, soit pour lui, soit pour moi. Il m'a bien tourmentée par son caractère inquiet, mais je tâche de le ramener tout doucement; je supporte, c'est ma tâche actuelle.»

Pendant tout le mois de décembre Mme de Lamartine constate encore le grand désir qu'il a de s'instruire, d'apprendre l'anglais et l'italien; elle note avec effroi son attitude lorsqu'à Pierreclos ou à Montceau on agite devant lui des questions littéraires[145]; elle se lamente sur son aspect de plus en plus renfermé et, indice plus grave, constate qu'il a beaucoup perdu de sa piété[146]; tout cela, rapproché de la *Correspondance* où l'on voit qu'à cette même époque il commence à causer littérature» avec enthousiasme, confirme dès lors ce qu'il a dit lui-même de ce séjour à Crémieu.

Au début de décembre, c'est une véritable frénésie de travail qui le possède; il veut vivre uniquement avec lui-même, au milieu des livres, renonce «à tout le train du monde[147]» et profite de l'ennui qu'il éprouve pour mettre à profit sa solitude et sa jeunesse[148].

Avec sa petite expérience des derniers mois, il se demande bien où tout cela va le mener, mais, pour s'encourager, il évoque Rousseau travaillant en silence et préparant «de loin» ses succès[149]. Sans nul doute, Rousseau est une des découvertes de Crémieu. La mère est enchantée de ce programme, qu'elle approuve pleinement, car, dit elle, «dans l'âge où il est, environné de beaucoup de séductions, il faut un miracle pour le préserver de tant d'écueils», et par tous les moyens elle encourage ce plan de travail.

On avait compté sans l'oncle terrible que cette belle vocation littéraire laissa fort indifférent. Au début de décembre, il fit comparaître son poétique neveu pour lui enjoindre de renoncer à son petit programme qu'il entendait remplacer par l'étude des sciences[150]. Lamartine, on le sait, eut de tout temps les mathématiques en horreur: il supplia, pleura même, mais l'oncle fut intraitable; de désespoir, puisque, disait-il, on voulait forcer son goût et son inclination, il commença à jouer de la Garde impériale, mit la mère de son côté et la délégua auprès de l'oncle[151]; on finit alors par s'entendre: les langues étrangères et les études littéraires furent conservées au programme, mais on y ajouta les sciences. Il était trop tard: l'enfant dégoûté avait perdu sa belle fièvre. Il ira bien chez le professeur de mathématiques, mais «résolu à n'y rien faire du tout qu'un peu semblant[152]» et, puisqu'on le contraignait malgré lui à mener «une vie de fainéant», il en profitera pour s'amuser: et le voilà qui sort le soir, se montre au concert, au théâtre, qu'il aime maintenant «à la folie[153]» et qu'il trouve, paraît-il, le seul amusement digne d'un homme de goût et de bon sens[154].

Sa mère, alors, s'effraye: «Son caractère, écrit-elle, m'inquiète chaque jour davantage: je lui ai fait promettre qu'il ne demanderait pas à aller au concert, moyennant quoi j'ai promis, de mon côté, que je le mènerais à Lyon pour quelques jours au mois de janvier.»

L'intervention de l'oncle n'avait pas été heureuse: faute d'avoir pris au sérieux son désir d'étudier, il avait découragé toute son ardeur; au lieu de passer à Mâcon un hiver paisible, comme il le souhaitait, il va partir pour Lyon s'amuser, ce qui n'était guère son intention, contrairement à ce que l'on croyait autour de lui. Nous retrouverons souvent cette incompréhension du caractère de l'enfant.

La mère et le fils arrivèrent à Lyon, chez Mme de Roquemont, le 17 janvier 1809 et de suite il organisa sa petite existence; s'il faut en croire une lettre à Virieu, il se levait tard, faisait un peu d'anglais, flânait l'après-midi à la bibliothèque publique, et terminait sa soirée au théâtre où il avait pris un abonnement[155]; à l'insu sans doute de sa mère, qui prétend au contraire à la même date avoir obtenu de lui qu'il n'irait «ni au spectacle, ni au bal masqué». La pauvre femme se plaint de n'avoir jamais mené un carnaval aussi «dissipé»; «mais, dit elle, c'était impossible autrement, car je voulais procurer quelques plaisirs à Alphonse».

Tous deux étaient de retour à Mâcon le 10 mars, lui enchanté de son voyage, elle moins; il constate alors avec un peu d'orgueil qu'il est beaucoup moins timide qu'au départ, et qu'à Mâcon on a une certaine considération pour un jeune homme qui a été passer l'hiver dans une grande ville: on le croit blasé sur tout et, dit-il, «cela donne une contenance[156]».

Dès le retour, il avait repris ses projets d'étude et de travail[157]; le carême se passa tranquillement à Mâcon, dans la solitude et la lecture. Mais cette fois, s'y prenant un peu à l'avance, il demanda bientôt l'autorisation d'aller étudier le droit à Lyon, au cours de l'année 1809[158]. L'oncle et le père refusèrent d'abord; la mère comme toujours s'interposa, apaisa les colères naissantes, et chacun se fit des concessions réciproques: pour le droit, l'oncle réservait sa réponse, mais on lui accordait soixante louis de pension annuelle, la nourriture, le logement, et la permission d'aller à ses frais passer l'hiver à Lyon ou à Dijon[159]. De nouveau on le détournait de ses rêves d'étude qui n'étaient peut-être, il est, vrai, qu'un prétexte pour aller s'amuser à Lyon. C'est que l'oncle, de plus en plus méfiant, commençait à s'inquiéter de cette jeune imagination débordante.

L'enfant finit par prendre son parti de cette demi-promesse, et se remit avec ardeur à la lecture et au travail; tout le printemps et l'été se passèrent dans une solitude absolue, à Mâcon, à Milly et à Saint-Point. «Voici trois mois, écrit-il en juin à Virieu, que mon genre de vie est le même absolument: travail, lecture, correspondance et petite promenade solitaire entre les huit ou neuf heures[160].» Un tel régime finit pas fâcheusement influer sur ses nerfs; des idées tristes l'envahirent bientôt; en août, même, il tomba malade, crachant le sang, accablé de violents maux de tête, et la crise morale se fit plus aiguë: «Oui, j'ai pleuré, écrit-il un jour à Virieu, moi qui ne pleurais plus, un peu de regret de cette partie manquée, un peu en voyant la sympathie de nos peines, de nos idées, de nos tourments, de nos désirs, et de ce feu sacré qui commence à te brûler comme moi, ces projets vagues, cette tristesse, cette paresse, cette vie au milieu de la mort[161]». Et les lettres se suivent, de plus en plus désespérées; le vague de son existence présente et future le fait languir et mourir; il devient sage, indifférent, philosophe sur bien des choses, il est fou, désespéré, enragé sur beaucoup d'autres...; il devient «ours» et parle de se brûler la cervelle, car il ne peut plus supporter la vie du plus plat, du plus ignorant bourgeois de petite ville: «Ô beaux rêves que nous faisions bien éveillés à neuf heures du soir sous les tilleuls de Belley, riches projets, riante perspective, avenir incomparable, où êtes-vous?...[162]»

Telle fut la première crise morale; il en connaîtra d'autres jusqu'en 1820 et toutes chez lui auront le même dénouement: dans les plus affreuses détresses, un rien suffira pour lui rendre l'équilibre.

Car Virieu finissait par s'inquiéter de cette exaltation et de ce découragement; il lui proposa alors, pour le changer d'air, de venir passer quelques jours chez lui au Grand-Lemps et, brusquement, la correspondance change de thème: à la mélancolie la plus sombre, succède un enjouement imprévu[163]; toute la vie de Lamartine sera faite de ces contrastes et de ces revirements, dont il est parfois difficile de saisir les motifs. Mais, cette fois, il jouait de malheur: au moment du départ son père se cassa la jambe, et il fut obligé de le remplacer—car c'était l'époque des vendanges—«en ayant l'air de trouver cela tout naturel[164]».

Alors, il s'étourdit, profita de l'animation passagère du pays pour mener une «vraie vie de fainéant et d'insouciant, une vie banale et commune comme celle de tous les désœuvrés et les imbéciles du monde, visites, bals, soupers, promenades et je ne sais quoi[165]».

Dans l'état où il se trouvait, il était à point pour devenir amoureux, et n'y manqua pas; cela dénoua la crise. Comme de juste, il aimait quelqu'un qui ne pouvait pas l'aimer; avec l'imagination qu'on lui connaît, «le voilà pris, le voilà mort». L'objet de sa passion n'était pas une beauté, mais «toute l'amabilité, toute la sagesse, toute la raison, tout l'esprit, toute la grâce, tout le talent imaginable ou plutôt inimaginable», et empruntant à nouveau le vocabulaire de Chérubin—c'était de son âge,—il terminait lyriquement: «J'en mourrai! je le sais! aimer sans espoir, ah! comprends-tu un peu cela[166]?»

La pauvre mère, qui elle-même avait encouragé son fils à une innocente correspondance en vers avec la jeune fille de leur médecin de Milly, le docteur Pascal, s'épouvanta des suites de son imprudence, et elle écrivait le 16 décembre 1809: «Mes nuits ont été mauvaises, ce qui a été occasionné par un chagrin que je ne puis mettre ici mais qui a été très vif, et dont la cause n'est pas encore passée; c'est au sujet de mon fils, et ce qui me peine le plus, c'est que je ne peux demander conseil à personne, et que j'ai peut-être quelque reproche à me faire...»; et quelques jours après elle ajoutait encore: «Alphonse m'inquiète toujours beaucoup, des passions commencent à se développer, et je crains que sa jeunesse ne soit bien orageuse; il est agité, triste, le trouble de son âme altère même sensiblement sa santé».

Pour couper court, on l'expédia à Lyon le 8 janvier 1810, avec permission d'y rester autant que ses moyens le lui permettraient; même il pourra faire son droit. «Je vois, dit-elle encore, qu'on nous blâme généralement de le laisser ainsi sur sa bonne foi, mais on ne connaît pas nos raisons; je suis moins tourmentée depuis qu'il est parti.»

Après les huit jours d'usage chez Mme de Roquemont, qui, prévenue, veilla sur lui avec une inquiète sollicitude, il réclama plus de liberté et s'installa rue de l'Arsenal, au quatrième, «avec une vue unique[167]».

Alors commença une existence exquise, la vie d'étudiant, mais sans études: les beaux projets de travail étaient loin; il n'était plus question des professeurs d'anglais et d'italien; la tragédie qu'il voulait écrire fut remplacée par un vaudeville; les huit heures de travail qu'il s'était imposées au départ, sans fréquenter personne, «quoiqu'on dise», furent occupées à de petits voyages à Grenoble, à la grotte de Jean-Jacques, ou à des flâneries chez les bouquinistes. De droit, point; au bout de deux mois, il avait épuisé ses ressources, et il fallut courir à Dijon, chez l'abbé. Le bon oncle se laissa arracher 60 louis qui ne demeurèrent pas longtemps dans sa poche; force lui fut alors de retourner à Milly, sa «détestable patrie», où il obtînt des tantes un peu d'argent sous prétexte de payer des dettes; puis il revint encore à Lyon, et finalement, endetté, poursuivi, sans un sou, car on lui avait coupé les vivres, il regagna Milly le 18 mai[168], après quatre mois de délices, relatées avec une joie enfantine dans les lettres à Virieu.

Elles sont juvéniles, prime-sautières et vives, d'un piquant contraste avec celles de l'année précédente: «Voilà enfin une partie de mes désirs satisfaits! écrit-il à son arrivée; je m'instruis, je suis libre, je suis indépendant, je le suis si fort que j'en deviens ridicule; mon livre, ma chambre, mon feu et le spectacle ont trop de charmes pour moi.» Puis c'est la description poétique de sa petite installation:

Cellule inconnue et secrète,
Où jamais un oncle boudeur,
Où jamais un mentor grondeur
Ne viennent troubler le poète.

Ses amis sont des «artistes», «des artistes surtout, mon cher ami! voilà ce que j'aime! de ces gens qui ne sont pas sûrs de dîner demain! Je leur ai dit que tu étais *comme moi*, un artiste *universel*, artiste dans l'âme, artiste d'inclination!»

C'est la vie de bohème, au jour le jour, et sans souci du lendemain; les grisettes, le théâtre, le concert, les vers, tout lui est bon, même les dettes, dont il se tire en faisant un impromptu: *Mes dettes*, qui, d'après lui, court la ville.

Plus tard pour les payer, il s'adressa naturellement à sa mère, qui cette fois s'en fut trouver l'oncle et les tantes plutôt que son mari, car le chevalier n'aimait pas les dettes: «Son oncle et ses tantes ont eu la bonté de se charger de payer les dettes d'Alphonse, écrira-t-elle plus tard, et sans rien dire à mon mari, ce que j'ai demandé par-dessus tout, car j'aurais mieux aimé qu'on le laissât dans l'embarras où il était et dont le temps aurait toujours fini par le tirer, que de consentir qu'on détruisît absolument le repos et le bonheur de mon mari en lui apprenant les dettes de son fils. C'est une chose qu'il a toujours eue en si grande horreur qu'il l'aurait cru tout à fait perdu!» L'amusant de l'affaire fut que le pauvre chevalier paya lui-même les dettes de son fils, à son insu. En effet, la tante du Villard se chargea, paraît-il, de la plus grande partie; mais, comme elle n'avait pas alors beaucoup d'argent disponible, elle demanda à son frère, sous un autre prétexte, de l'argent qu'il lui devait et auquel il ne songeait guère, croyant qu'elle n'en avait nul besoin.

Il fallut pourtant songer au départ, car l'oncle, cette fois, menaçait tout à fait de se débarrasser du prodigue neveu. Ce furent de touchants adieux à «Myrthé», sa belle, mais surtout à la liberté, «d'impayable liberté». À ce moment, il jeta bien quelque vague coup d'œil en arrière, et ses projets de travail lui revinrent à l'esprit; il en prit son parti, ne regretta rien, mais ne s'en tint pas quitte, se réservant pour Milly où il prévoyait bien qu'un cruel ennui allait l'accabler à nouveau: là-bas, «l'imagination et son livre anglais» le dédommageraient de tout.

Ce petit séjour à Lyon marque une date dans la jeunesse de Lamartine; au retour, les dernières traces laissées par l'enseignement de Belley ont disparu, remplacées par le goût du plaisir, de la dépense, et l'horreur de la contrainte familiale. «Les ébauches littéraires vont se ressentir de ce nouvel état d'esprit.»

Lamartine, on l'a vu, était de retour à Mâcon le 18 mai. Le 19, nous le trouvons à Milly, plus désœuvré et enfiévré que jamais, s'ennuyant dans son «trou», seul avec ses livres, sa plume «que rien ne stimule», son imagination qui le tourmente. La mère, comme toujours, cherchait à excuser son humeur un peu vive, «car il est assez naturel à un jeune homme sans occupations forcées de s'ennuyer à la campagne». Mais, cette fois, c'était lui qui ne voulait plus s'occuper.

Bientôt, les idées sombres l'envahirent à nouveau et ses lettres d'alors sont pleines d'une philosophie qu'il essaye de rendre résignée, mais où percent le dégoût, l'amertume et la détresse[169]: à Milly, à Saint-Point, à Montceau, il traîne son oisiveté sous l'œil agacé du père. Enfin, nerveux, mal à l'aise, il partit le 2 juillet à Dijon chez l'abbé, où il retrouva un peu d'équilibre et de tranquillité. Ce furent des lectures sans ordre, comme toujours: Montaigne, Mme de Staël, le prince de Ligne, Young et Jean-Jacques; des paresses sans fin dans les herbages ou dans la thébaïde. Les choses auraient été fort bien sans «des diables de soucis de l'avenir», qui reviennent troubler sa paix de temps à autre, et «cette tête, écrit-il à Virieu, que tu connais aussi bien que moi[170]». Puis, apprenant que son père et sa mère allaient arriver pour le mois d'août à Montculot, il s'empressa d'en déguerpir, sous prétexte de mettre en train les vendanges, mais en réalité, semble-t-il, pour chercher le repos et fuir sa famille.

Seul à Milly, il reprit sa vie renfermée; rêveur, ennuyé de la vie, il fit ses délices du fade et mathématique *Traité de la solitude* de Zimmermann, se plongea dans *Werther*, dont, écrit-il à Virieu, il est souvent tenté d'imiter la fin[171].

Sans grand enthousiasme, il essaya aussi de prendre part au concours des Jeux floraux, mais l'affaire, comme toujours, ne fut qu'un projet[172]. Enfin, quand les Lamartine regagnèrent Milly au début d'octobre, il partit précipitamment pour Crémieu, chez Guichard, malgré sa mère, qui commençait à s'inquiéter de cette nouvelle coïncidence de son départ et de leur arrivée[173]. Il y demeura jusqu'au 7 novembre.

Il revint du Dauphiné apaisé et moins sauvage; en novembre, Mme de Lamartine a noté quelques bals à Maçon où il reste «fort tard» et, pour le retenir, elle se décida un peu à contre cœur à organiser de petites soirées à

Milly, «heureuse, dit-elle, quand je le vois ainsi s'amuser sous mes yeux». Puis il s'installa à Mâcon dans les premiers jours de décembre, bien à regret, mais il était sans ressources pour recommencer l'hiver de l'année précédente. Il flânait le soir au théâtre de la ville, se montrait assidu aux bals. Sa mère, que l'expérience aurait peut-être dû rendre plus méfiante, mais qui redoutait surtout de le voir vivre trop en lui-même, l'y encourageait innocemment sans prévoir les conséquences fâcheuses pour son repos qui devaient suivre «cette petite dissipation d'esprit».

CHAPITRE II

LA CRISE LITTÉRAIRE. LE PREMIER AMOUR

Le 30 juin, Lamartine écrivait à Virieu:

«Et moi aussi, mon ami, ne te disais-je point que je voyais s'évanouir tous nos rêves? Hélas! il est trop vrai, que ferons-nous donc? et pourquoi avons-nous tous deux ce je ne sais quoi dans l'âme qui ne nous laissera jamais un instant de repos avant que nous ne l'ayons satisfait ou étouffé? est-ce un besoin d'attachement ou d'amour? Non, j'ai été amoureux comme un fou, et ce cri de ma conscience ne s'est pas tu. J'ai toujours vu quelque chose avant et au-dessus de toutes les jouissances d'une passion même vraie et pure. Est-ce l'ambition? pas tout à fait....

«...Je dis et je pense qu'il n'est qu'un vrai malheur: c'est de ne pas satisfaire toutes nos facultés, en un mot toutes les fois que nous le pouvons, fallût-il même de pénibles sacrifices. Quelqu'un qui me lirait s'imaginerait que je me fais de la morale; mais toi, tu m'entends, tu me comprends. Es-tu d'accord de ce que je viens de dire là? Oui, eh bien! raisonnons là-dessus et venons à la pratique. Es-tu prêt? je le suis, moi: nous allons faire notre code.

«Nous renonçons pour le moment à toutes prétentions exagérées, du moins elles ne seront plus l'unique mobile de nos actions. Nous n'écouterons que notre propre conscience qui nous dit: Travaillez pour donner les intérêts de ce que vous avez reçu; travaillez pour être utiles si vous le pouvez; travaillez pour connaître ce que vous êtes capables de voir dans la vie; travaillez pour vous dire au dernier moment: J'ai vécu peu, mais j'ai vécu assez pour observer et connaître tout ce que ce petit globe contient, tout ce qui était à ma portée; j'ai sacrifié à ce désir de m'instruire une fortune précaire, quelques jouissances des sens, quelque chose dans la sotte opinion d'un certain monde; si j'ai obtenu quelque gloire, tant mieux! si je suis malgré cela resté ignoré, je m'en console, j'ai été utile à moi-même, j'ai accru mes idées, j'ai goûté de tout, j'ai vu les quatre parties du monde; si je meurs dans un fossé de grande route, si mon corps n'est pas porté à l'église par quatre bedeaux et suivi d'une foule d'héritiers pleurant tout haut et riant tout bas, j'ai été aimé, je serai pleuré par un ou deux amis qui ont partagé mes peines, mes études et mes travaux; et je rendrai à celui qui sans doute a fait mon esprit et mon âme un ouvrage perfectionné de mes mains. Mais votre patrie?—Ce n'est plus qu'un mot, du moins en Europe.—Mais la société?—Elle n'a pas besoin d'un financier, d'un usurier ou d'un boucher de plus et, en travaillant pour moi, peut-être aurai-je travaillé pour elle[174].»

Si ces lignes prouvent la parfaite clairvoyance avec laquelle Lamartine se jugeait à vingt ans, elles montrent également jusqu'à l'évidence le déplorable résultat moral de ces deux premières années d'indépendance dont il augurait tant au sortir de Belley. Certes, elles sont l'aveu des juvéniles chimères dont il s'est nourri jusqu'alors, et même leur amende honorable, mais avec de hautaines restrictions qui portent l'empreinte de la philosophie orgueilleuse et sentimentale de Rousseau. Cette nouvelle conception de l'existence, tout aussi littéraire que la première, est infiniment plus dangereuse: le doute, l'égoïsme et l'amertume en sont les conséquences inévitables.

Les premières désillusions de sa jeunesse sont vraiment insuffisantes pour motiver cet état d'âme du moment que des influences littéraires peuvent seules expliquer. Il payait ainsi deux années d'un incessant vertige intellectuel contre lequel sa sensibilité et son imagination le laissaient désarmé; livré à lui même, sans direction, sans contrôle, il n'avait eu guère d'autres ressources que les lectures pour occuper ses loisirs à Milly: l'abus qu'il en fit, leur choix, les conditions de sa vie, sa nature à la fois fiévreuse et mélancolique, tout le prédisposait à être une proie facile au mal littéraire qui ravagea sa génération[175].

Ce que Lamartine dévora en trois ans—de 1808 à 1812—est prodigieux, et cela, pêle-mêle, sans plan organisé, au hasard des bibliothèques et des cabinets de lecture. Ici, la *Correspondance* devient véritablement précieuse pour la spontanéité des renseignements qu'elle nous fournit, puisque les impressions causées par le nouveau livre sont immédiatement traduites dans une lettre à Virieu, froidement ou avec enthousiasme, selon l'effet produit. Plus tard, soit dans ses préfaces, soit dans son *Cours de littérature*, il reviendra sur beaucoup de ces appréciations de la première heure: l'expérience de la vie, des raisons morales, politiques ou littéraires dont il ne se souciait pas alors modifièrent ses jugements de jeunesse; mais la façon dont il les formula à vingt ans doit seule nous importer.

L'impression devait être d'autant plus profonde que Mme de Lamartine exerça longtemps un contrôle sévère sur les lectures de son fils, qui prenaient ainsi la valeur du fruit défendu. Avec un pieux sentiment d'amour maternel, le poète qui sentit combien il avait été soumis aux influences littéraires lui fit plus tard une part qu'elle n'eut jamais dans sa direction intellectuelle: les *Confidences*, les *Commentaires*, certains passages remaniés du *Manuscrit de ma mère* la montrent lisant Homère, Tacite, Virgile, Mme de Sévigné, Fénelon, Molière, et même les tragédies de Voltaire.

La vérité est que Mme de Lamartine lisait peu par manque de temps d'abord, mais surtout par méfiance de soi-même et crainte de ce qu'elle appelle «de séduisantes idées fausses». Son Journal nous révèle ses préférences, qui vont à saint Augustin, à Bossuet, aux Chroniques de Joinville, à Fénelon, à La Fontaine, à Laharpe, à Mme de Genlis; elle y puisait les principes moraux nécessaires à l'éducation de ses enfants, et ce sont là les auteurs le plus souvent nommés par elle.

Parfois, quelque nouveauté célèbre arrivait jusqu'à elle; mais elle avait gardé de son éducation religieuse l'horreur de la littérature romanesque ou sentimentale, de «d'abominable philosophie destructrice de la religion». C'est ainsi que Chateaubriand lui paraîtra «trop passionné», *Atala* «capable d'échauffer la tête des jeunes gens», *les Martyrs* «loin d'être aussi bons moralement que beaucoup de gens le jugent». «En tout, dira-t-elle après la lecture du *Génie*, cet ouvrage qui est pourtant très bien me paraît un peu trop propre à exalter l'imagination.» *Corinne* sera pour elle «un roman invraisemblablement écrit et avec beaucoup de prétention»; cependant elle s'y intéressera, «quoiqu'il y ait bien des choses à dire». De même, *Roland Furieux* qu'elle lira seulement en 1808, lui inspirera les réflexions suivantes: «Il y a des choses plaisantes, mais il y en a de mauvaises que je passe, et il ne faudrait pas que des jeunes gens le lisent».

Mais le XVIIIe siècle, surtout, sera pour elle un objet d'épouvante: elle interdira sévèrement à son fils les *Mémoires de Mme Roland*, «quoiqu'il en eût très grande envie»: «Je sais bien, ajoute-t-elle mélancoliquement, qu'il peut se procurer à mon insu tous les livres qu'il voudra, mais au moins je n'aurai pas à me reprocher de l'avoir autorisé à cela». «On se permet trop, dira-t-elle aussi, de lire toutes sortes de livres sous prétexte qu'il n'y a plus de danger: cela est fort mal fait.»

Elle ira plus loin encore: en 1813—Lamartine avait donc vingt-trois ans,—elle profita d'un de ses voyages à Paris pour brûler ses livres, et par hasard elle ouvrira l'*Émile* dont elle se laissera aller à lire quelques passages «qui sont superbes et m'ont fait du bien»; mais bientôt le danger qu'elle a couru en s'abandonnant au charme de tant d'idées qu'elle sait condamnées, la remplit de terreur et elle terminera: «Cela me révolte, je brûlerai ce livre, malgré ce qu'il y a de bon, et *la Nouvelle Héloïse* aussi, bien plus dangereux encore parce qu'il anime davantage les passions et qu'il est plus séduisant». Rousseau l'effrayera toujours pour des motifs qu'elle n'explique pas, mais qu'on devine: sa vie privée, l'anarchie politique et religieuse dont elle le rend responsable, et son «abominable philosophie» qui synthétise à ses yeux l'esprit du XVIIIe siècle.

Lamartine, on le voit, eut donc quelque mal à faire ses lectures ouvertement; d'ordinaire, il emportait son livre en promenade ou s'enfermait dans sa chambre. À Milly et à Saint-Point d'ailleurs, il n'y avait pas de bibliothèque; à Mâcon et à Montceau, celles de son oncle étaient importantes, mais il n'en avait pas la disposition; il lui restait le cabinet de lecture de Myard, à Mâcon, où sa mère nous apprend qu'il était abonné en 1808, et Montculot, où l'abbé avait entassé deux mille volumes qu'il légua plus tard à son neveu. Il y ajoutera les contemporains, les nouveautés, bons ou mauvais livres, et en général tout ce qui lui tombera sous la main.

C'est le séjour à Crémieu, en octobre 1808, qui marqua le début de sa fièvre littéraire. Dans quelles conditions, maintenant, va-t-il s'assimiler ces lectures faites sans direction et sans critique, et quelle influence vont-elles avoir sur la formation de sa personnalité? Une théorie séduisante et facile même à appuyer sur des faits serait de prétendre qu'il en goûta seulement les mauvais côtés, se dirigea surtout vers Parny et son école et qu'il lui fallut la crise morale des années 1817-1819 pour se libérer entièrement de leurs derniers souvenirs. Pourtant, à y regarder de plus près, il semble que la vérité soit ailleurs.

Certes, une des contradictions les plus singulières de la *Correspondance* est assurément ce mélange, à première vue inconciliable et quelque peu incohérent, d'impromptus, de pièces d'almanach, d'épîtres pompeuses, et de peintures mélancoliques ou désespérées de ses souffrances morales. Mais c'est qu'à cette époque, et pour longtemps encore, Lamartine qui, on l'a vu, rêva très tôt de se faire un nom dans les lettres, tenait pour bonne la fameuse formule que les classiques opposeront plus tard à la débordante facilité des romantiques: hors de l'ordre moral, point de véritable mérite littéraire; il ne pourra donc s'imaginer la gloire sous une autre forme que celle de pièces fugitives, toujours à la mode, d'interprétations plus ou moins fidèles d'un poète étranger, d'une tragédie bien régulière, d'un poème épique laborieusement rimé. Et nous avons la preuve de cette conception du métier littéraire par quelques odes intercalées plus tard dans les *Méditations*: le Génie, l'Enthousiasme, et le Poète exilé.

Le contraste ne manque pas aujourd'hui d'un certain piquant lorsqu'on voit naître peu à peu dans la *Correspondance* les premières *Méditations*, jalousement cachées comme des essais intimes et trop personnels, tandis que Lamartine court Paris un *Saül* ou une *Médée* sous le bras: «Je vais me remettre au grand ouvrage de ma vie, écrit-il en 1816 à son ami Vaugelas; si je réussis, je serai un grand homme; sinon la France aura un Chapelain ou un Cottin de plus»[176]. Le grand ouvrage, ce n'était pas, comme on pourrait le croire, ses *Méditations*, mais un poème épique sur Clovis, qui l'occupa jusqu'en 1820. Bien mieux, au moment où il se décidera à publier, presqu'à contre-cœur[177], les *Méditations*, ce fut sans les soins amoureux du poète pour son premier-né[178], et pour essayer de «lancer» ses tragédies[179].

Que conclure de cette perpétuelle violence à ses sentiments véritables, sinon que ses premiers essais furent conçus seulement dans le but défini d'atteindre à la célébrité, et qu'il renfermait soigneusement en lui les troubles et les détresses dont débordent ses lettres?

C'est pourquoi, au cours de ses lectures, il ne s'enthousiasmera pas pour ceux qu'il imitait par métier; au contraire son ardeur, lorsqu'il s'agit de Rousseau, d'Young, d'Ossian, de Mme de Staël et de Chateaubriand, prouve que ceux-là furent les véritables éducateurs de sa pensée et qu'il leur doit presque tout de ses aspirations tourmentées et insatisfaites[180].

Il faut noter aussi son incompréhension absolue des œuvres d'analyse et de précision qui ne répondent chez lui à aucun état d'âme. Les seuls Allemands qu'il nomme sont Gœthe et Zimmermann, l'un pour son *Werther*, l'autre pour son *Traité de la solitude*; mais les deux sujets qui pourtant semblaient faits pour lui plaire n'eurent pas sur lui l'effet qu'on pourrait supposer: «Je viens de lire *Werther*, écrit-il en 1809, il m'a fait la chair de poule: je l'aime pas mal non plus. Il m'a redonné de l'âme, du goût pour le travail, le grec; il m'a un peu *attristé et assombri*[181].» Résultat imprévu et qu'on n'attendait guère d'une lecture qui démoralisa la jeunesse romantique; tout au moins peut-on l'expliquer du fait que *Werther*, œuvre documentaire et assez froide, ne fut jamais vécue par Gœthe; instinctivement peut-être, Lamartine ne s'y trompa point et n'y découvrit pas l'accent de sincérité qu'il lui fallait. «Vive les Allemands pour la raison![182]» s'écriait-il après la lecture du *Traité de la solitude* où Zimmermann a méthodiquement catalogué les inconvénients et les avantages de cet état d'âme: il ne rencontrait en effet chez eux guère autre chose que la raison, l'esprit brutal et sec d'analyse ou de classification, choses qu'il ignore et qui cadrent mal avec sa nature mouvante et pleine de revirements.

À cet égard, encore, l'exemple de Montaigne est tout aussi typique. La première rencontre fut mauvaise[183], mais Virieu, d'un esprit aussi froid et méthodique que le sien l'était peu, voulut lui faire partager son admiration pour celui qu'il appelait son maître et Lamartine s'y employa de bon cœur: «Je lis l'ami Montaigne, lui répond-il, que j'apprends tous les jours à mieux connaître et par conséquent à aimer davantage; veux-tu que je te dise ce qui m'y attache plus encore? c'est que je trouve une certaine analogie entre son caractère et le tien[184]». On sent alors que, bien plus par amitié que par goût, il s'évertue à l'admirer, «l'adore», l'aime «infiniment plus qu'autrefois[185]». Pourtant, la première impression était la bonne et en 1811 il écrivait «...Ses idées m'amusent, mais ses opinions me fatiguent et me blessent... il faut être froid pour se plaire à Montaigne; je l'ai aimé tant que je n'ai rien eu dans le cœur;... tout ce que j'aime en lui, c'est son amitié pour La Boëtie[186]». Tel avait été le vrai motif de son admiration passagère: un seul point lui plut, où il retrouvait un sentiment personnel, son amitié pour Virieu; le reste lui échappa.

Ainsi, chez, lui, tout se résume dans la première impression, et c'est la seule qui doive compter lorsqu'il s'agit de l'étudier, d'autant qu'il n'apportait aucun esprit critique dans ses lectures, aucune mesure dans ses admirations et qu'il lui suffisait pour goûter une œuvre d'y retrouver la description d'un de ses états d'âme, un sentiment déjà éprouvé, ou l'écho d'un souvenir; exaspérées ainsi, son imagination, sa sensibilité, l'imagination maladive qu'il portait en toutes choses faisaient le reste.

Dominé par tant d'influences littéraires, il se trouvait à la merci de toutes les chimères qu'elles allaient faire naître et la moindre étincelle devait enflammer le brasier qu'il portait en lui. Mais il était fatal aussi que sa première émotion du cœur dût y gagner en violence plutôt qu'en sincérité, et le très romantique amour de Lamartine pour la jeune Henriette Pommier, inconsciente tentative d'appliquer à la vie les idées dont il était nourri, eut le bref dénouement que sa nature changeante laissait prévoir[187].

Marie-Henriette Pommier, née à Mâcon le 1er mai 1790, était fille de Pierre Pommier, conseiller au bailliage avant la Révolution, puis juge de paix à Mâcon, et de Philiberte Patissier de la Presle, d'une vieille famille du pays. Elle était donc un peu plus âgée que Lamartine et c'est ainsi, sans doute, qu'il faut entendre la disparité d'âge dont il a parlé comme du premier obstacle au mariage qu'il avait projeté. D'autre part, sa naissance confirme ce qu'il a dit lui-même en écrivant qu'elle tenait d'un côté à la noblesse du pays et de l'autre à la bourgeoisie.

Au dire de ceux qui les ont connus, les Pommier étaient d'honnêtes et simples gens: Mme Pommier était une excellente femme très vive et très spirituelle et qui, à quatre-vingts ans, montrait encore dans le monde de fort belles épaules. Sa demeure était située face à l'hôtel de ville de Mâcon devant lequel une sentinelle montait alors la garde; pour se délasser de ses longues insomnies, elle entamait parfois une conversation avec le factionnaire et ces duos nocturnes faisaient la joie des salons mâconnais.

Sa fille était à vingt ans une merveilleuse créature: M. Duréault, qui a tenu entre les mains sa miniature exécutée à l'époque, et même un de ses souliers de bal, affirme que le portrait laissé d'elle par Lamartine est fort ressemblant et que «sa beauté pensive, sa taille mince, sa démarche svelte, la grâce de ses bras, l'inimitable délicatesse de ses pieds, la langueur morbide de son cou, son sourire à la fois charmant et mélancolique» sont autant de détails fidèles et qui n'ont pas été exagérés par le poète.

Les jeunes gens se rencontrèrent en soirée, à l'un de ces bals où nous avons vu fréquenter le jeune homme pendant l'hiver 1810-1811. Dans les *Mémoires inédits*, Lamartine n'a nommé leur hôtesse que de son initiale: c'était Mme de la Vernette, femme de Pierre-Bernard de la Vernette, ancien capitaine au régiment de Navarre et chevalier de Saint-Louis, qui, très mondaine et lettrée, recevait dans ses salons l'élite de la société de la ville; les jeunes dansaient, disaient des vers; les hommes causaient littérature et politique: un soir, Henriette Pommier dont la voix était fort belle se mit au piano, et Lamartine céda au charme[188].

C'est au début de février 1811 que Guichard reçut la confidence de cette passion naissante[189] et il faut noter que, d'après la *Correspondance*, l'austère Virieu ne fut pas tenu au courant de tous les détails de l'aventure. À cette date, l'amoureux n'avait pas encore osé se déclarer et le roman en était d'ailleurs à ses premières pages, puisqu'il annonçait à son ami qu'il allait faire «un de ces jours» une pathétique déclaration et serait ensuite soulagé «en grande partie». Mais, incapable qu'il était de se maîtriser, les salons de Mâcon commencèrent à s'étonner de son assiduité auprès de la jeune fille. Faut-il croire ici que l'oncle, connaissant le caractère fantasque du neveu, ait tenté une diversion en le faisant admettre à l'Académie de Mâcon malgré ses vingt ans[190]? L'hypothèse n'aurait rien d'invraisemblable, en tenant compte des idées de Louis-François, qui jusqu'ici n'avait guère encouragé les goûts littéraires de l'adolescent. Quoi qu'il en soit ce fut peine perdue, sa devise du jour étant: *Rien ne m'est tout* (?), *tout ne m'est rien*[191]. Sa détresse, qu'il exposait avec complaisance, entra alors dans la phase mélancolique: Ossian, Young et Shakespeare voisinèrent sur sa table et il errait, à l'en croire, à travers la campagne avec son chien, pleurant «comme un enfant» à la lecture de Sterne[192]. Virieu—qui semble ignorer encore les causes de cette nouvelle désespérance—s'en inquiéta et lui arracha le serment de ne pas mettre fin à ses jours, ce qui lui fut accordé somme toute avec assez de bonne volonté[193].

Il faut croire que mars avait vu sa déclaration; le 2 avril, en effet, il écrivait à Guichard une lettre enflammée: «Oui, mon ami, plains-moi, pleure sur moi! je suis bien digne de quelque pitié. J'aime pour la vie, je ne m'appartiens plus et je n'ai nulle espérance de bonheur quoiqu'étant payé du plus tendre retour; tout nous sépare, quoique tout nous unisse, je vais prendre incessamment un parti violent pour obtenir sa main à vingt-cinq ans[194].» Le «parti violent» fut de s'ouvrir à la famille de ses projets, et l'on peut penser, comme il l'a dit, qu'ils furent mal accueillis. Il était sans position, la dot de la jeune fille assez mince, et l'alliance Pommier ne tentait guère l'aristocratique Louis-François. Les Lamartine furent inébranlables, et il n'obtint pas même, cette fois, la demi-promesse qu'on lui accordait d'habitude, en laissant au temps ou à quelque nouvelle chimère le soin d'apaiser son imagination.

Voici pourtant chez lui l'indice d'une passion sérieuse: malgré tout son amour de l'indépendance, écrivait-il à Guichard, il se décidera à travailler[195]. Le projet était encore assez vague puisqu'il s'agissait de solliciter à l'automne un emploi quelconque dans le gouvernement. Mais l'intention connut même un semblant d'exécution. Le 24 avril, sa mère a en effet noté qu'au cours d'une visite à Champgrenon chez les Rambuteau il se fit présenter au comte Louis de Narbonne, ministre de France en Bavière, qui le reçut avec amabilité et l'engagea à venir à Paris, où il lui trouverait une situation. «Tout cela peut avoir plus de danger, peut-être encore, que d'utilité», ajoute Mme de Lamartine. Ainsi, bien qu'elle semble s'être fait un scrupule de rester neutre dans la question,—c'est la seule allusion à Mlle Pommier que l'on rencontre dans son journal—on voit qu'elle n'était pas favorable à ce mariage et préférait encore voir son fils inactif.

La résistance qu'il rencontrait ne fit qu'aggraver, comme toujours, son exaltation, et il décida d'employer la suprême ressource: ne pouvant rien obtenir qui lui donnât l'assurance d'une «libre aisance», il entrera dans l'armée «et essaiera de se faire tuer, ou du moins, ajoute-t-il prudemment, d'acquérir un grade qui le fera vivre, sa femme et lui[196]». Il disait *sa femme*, «parce que je la regarde comme telle et que rien au monde ne peut nous séparer».

L'affaire devenait sérieuse, mais les Lamartine tinrent bon. Usant d'une tactique qui leur avait déjà réussi, ils l'expédièrent bon gré mal gré à Montculot vers la fin d'avril. Le 20 mai il était de retour, dégoûté de la Bourgogne qu'un «tendre attachement» ne parvenait même pas à lui faire aimer, toujours cruellement amoureux[197], et proclamant tout haut l'éternité de ses sentiments en même temps que la barbarie de sa famille. À l'en croire même, Mme Pommier serait venue alors trouver les Lamartine pour leur soumettre avec beaucoup de loyauté une lettre d'Alphonse à *sa femme*, où il jurait que rien ne pourrait les désunir. À tout prix, cette fois, il fallait l'éloigner; mais sur ce point il était intraitable, à moins, sans doute, d'une occasion exceptionnelle. Il s'en présenta une qui le fit réfléchir.

Le 22 mai, Mme de Roquemont et sa fille Mme Haste, qui revenaient de Paris, s'arrêtèrent quelques jours à Mâcon. Mme de Roquemont, de tout temps la confidente de sa cousine, fut mise au courant de la situation: Mme de Lamartine lui représenta «la maladie de nerfs» d'Alphonse, «la vivacité de son âge et son imagination», en même temps que ses conséquences actuelles. Mais que faire? elle ne voulait pas entendre parler d'un long voyage sans contrôle possible, et préférait encore le voir à Mâcon près d'elle; que deviendrait-il, une fois seul, avec cette imagination ardente?

M. et Mme Haste, prêts à partir pour l'Italie, s'offrirent alors avec beaucoup de bonne grâce à tirer leurs cousins d'embarras en emmenant le jeune homme avec eux, et tous les Lamartine furent d'accord pour saisir une telle occasion; les deux oncles et les trois tantes fournirent chacun vingt-cinq louis, et cette fois avec empressement, tandis que le père complétait de son mieux la somme nécessaire. Le plus difficile restait à faire: il s'agissait maintenant de décider le jeune amoureux.

Au premier mot qu'on lui en toucha, il n'eut pas, d'après sa mère, la moindre hésitation, et sauta littéralement de joie. Depuis deux ans l'Italie était un de ses rêves, et il sacrifia sans regret l'autre pour celui-là, plus neuf et immédiatement réalisable. «Il faut bien que je rompe les liens les plus doux, écrit-il aussitôt à Guichard, que je me condamne pendant sept ou huit mois à une douleur mille fois pire que la mort, que j'abandonne tout ce qui m'est le plus cher dans le monde après mes deux amis. N'en parlons plus, ne rouvrons pas les blessures trop fraîches et trop cruelles[198]....» À Milly on pouvait respirer, car la diversion était trouvée.

Certes, dans l'intention un peu excusable de ne pas paraître trop inconstant aux yeux de Guichard qui avait reçu la confidence de ses désespoirs, son ancienne passion figurera par des rappels de ton dans les premières lettres d'Italie: «Ô mon cher ami! tu ne sais donc pas tout ce que j'ai laissé en France? s'écriera-t-il lyriquement; tu ne sais donc pas que toute espérance est morte dans mon cœur et que, plus à plaindre que Saint-Preux, je n'aurai connu qu'une passion sans aucune jouissance, et qui va me précipiter dans un abîme sans fond[199]?» Les lettres à Virieu sont d'une autre désinvolture: «Que de larmes vont couler! lui dit-il, combien j'aurai d'assauts à soutenir pour ne pas me dédire! mais j'ai du cœur (!) et toutes les Armides de ma patrie ne retiendront pas un pauvre chevalier qui va courir les aventures[200]».

Le moyen, en effet, de résister au plaisir très littéraire d'aller traîner sa mélancolie sous le ciel de Rome ou de Florence? Bien avant le départ, l'amour d'Henriette n'était plus qu'un souvenir, et rien ne peint mieux cette extrême mobilité de sentiments, cette âme changeante et si vite rassasiée, soumise qu'elle est à toutes les influences extérieures, cette imagination vagabonde que rien ne peut fixer.

L'imagination qui venait en effet de jouer le premier rôle dans cette aventure va trouver un aliment nouveau dans ce projet de voyage. Tout y sera prévu minutieusement, organisé d'après un plan, rigoureux et précis au départ, mais qui, pas davantage que les précédents, ne rencontrera d'exécution. C'était là son véritable plaisir, et la réalisation lui importait peu. Un jour, il demandait à Virieu des recommandations «pour des gens instruits ou des maisons agréables[201]», un autre il échafaudait les travaux les plus magnifiques: «Moi aussi, je ferai mon voyage, mon itinéraire», s'exclamait-il en évoquant ses souvenirs littéraires; et il devait revenir parlant l'italien le plus pur et le grec[202].

Tous furent enchantés de cette diversion inespérée. Mais la mère avait fini par acquérir un peu d'expérience de son fils; elle saisissait bien les motifs de ce revirement soudain, et lorsqu'elle écrivait: «Ce voyage est au moins très utile en ce moment pour occuper l'activité de sa tête et de son imagination de vingt ans», elle voyait juste, l'imagination seule était responsable; craignant même que ce beau feu ne s'éteignît comme les autres elle pressa le départ et l'expédia à Lyon le 1er juillet. «Enfin, note-t-elle ce jour-là avec soulagement, tout a fini par s'arranger à notre satisfaction et surtout à celle d'Alphonse.»

Ainsi se termina ce petit roman dont Vignet, étonné d'un si rapide oubli, lui reprochait au retour de Naples d'avoir perdu la mémoire[203]. La fin en est conforme à ce qu'il a raconté: le 25 août 1813, Henriette Pommier épousait à Mâcon Jean-Baptiste Leschenault du Villard ancien capitaine de chasseurs, sans que son premier et volage fiancé s'en soit désespéré; il était alors à Paris où d'autres plaisirs avaient remplacé cet innocent commentaire de Jean-Jacques. De part et d'autre les deux familles avaient tenu peu compte de ces enfantillages, puisque François-Louis de Lamartine fut témoin au mariage de la jeune fille.

Henriette vécut aux environs de Mâcon, et elle repose aujourd'hui dans la petite chapelle triste de la demeure où elle coula des jours sans histoire. Regretta-t-elle, aux heures triomphales que connut Lamartine, de ne pas partager sa gloire et de n'avoir pas réalisé son rêve de jeune fille? La postérité, elle, n'a pas à le déplorer: Lamartine marié à vingt et un ans n'eût pas été le poète des *Méditations*.

CHAPITRE III

LE VOYAGE D'ITALIE

Le voyage d'Italie, suite imprévue mais agréable de tant d'infortunes, n'eut pas sur le développement poétique de Lamartine l'influence qu'on lui a trop souvent prêtée.

Florence et Rome étaient pourtant le cadre parfait d'un amour malheureux et le soupçon de mélancolie qu'il emportait avec lui était à l'époque un élément indispensable pour goûter pleinement le charme des ruines et des monuments. Au fond, ce voyage était très littéraire, ce qui l'enchanta, tout pénétré qu'il était alors de l'Oswald de *Corinne*. Mais il partait pour l'Italie en touriste, le crayon à la main, plus soucieux au début de chercher des impressions que de les laisser venir à lui d'elles-mêmes; sa *Correspondance* et son bref carnet de voyage sont là pour en témoigner. Huit ans plus tard, Lamartine mûri et désenchanté eût été séduit par bien des détails qui en 1811 le laissèrent indifférent. Ce qu'il aima surtout dans ce séjour fut l'indépendance qu'il lui procura; les nuances, la poésie un peu triste des choses lui échappèrent complètement. Parfois on rencontre dans ses notes quelque froide réminiscence de Chateaubriand ou de Volney dont sa prose essoufflée essaye en vain d'imiter le rythme; à Naples enfin, la contrainte qu'il s'était imposée lui devint insupportable et il abandonna Pétrarque, qu'il s'efforçait de lire sans y comprendre grand'chose[204]; grisé de lumière et de liberté, il fut jeune, insouciant, avide de plaisir et se laissa vivre indolemment. Nous retrouverons cet état d'âme en 1822: *Ischia*, *Philosophie*, *le Passé*, la suave *Élégie* des Nouvelles Méditations, appartiennent à la même inspiration que l'*Hymne au Soleil*, *À Elvire* et *le Golfe de Baia*.

Sans doute, on peut faire avec justesse des rapprochements entre divers passages du *Carnet* et certains fragments des *Méditations*; mais ces réminiscences nous paraissent trop directes, surtout si l'on tient compte du peu de précision de Lamartine, pour ne pas admettre qu'ayant eu en 1819 à décrire quelques monuments ou aspects d'Italie, il ait alors fait appel à ses notes de voyage, rédigées autrefois dans un vague but littéraire. Quoi qu'on puisse dire, Pétrarque et Lamartine n'ont pas de rapports. Pétrarque chanta l'amour idéal; après *le Lac*, Lamartine pleura l'amour impossible et par la force des choses finit par tourner au pétrarquisme, pétrarquisme infiniment plus humain, pourrait-on dire, que celui du maître italien. Du fait que nous possédions un petit Pétrarque ayant appartenu au poète, dont un sonnet au moins fut traduit par lui, il serait imprudent de conclure à une influence aussi profonde que celle d'Young, car les traductions de poètes étrangers, auxquelles il s'astreignit souvent dans sa jeunesse, ne furent jamais pour lui que des exercices de versification. Il n'existe dans son œuvre aucune ambiance italienne mélancolique ou douloureuse, car il ne connut l'Italie qu'à des moments d'accalmie et d'insouciance où ses maîtres furent Horace ou Catulle et non pas Pétrarque.

En 1811, Lamartine quittait la France obsédé par les souvenirs de Chateaubriand et de Mme de Staël et cet état d'esprit persista pendant la première partie du voyage; à Rome, on voit par le *Carnet* qu'il commençait déjà à lutter contre eux; à Naples, enfin, il s'en libéra complètement et ses vingt ans reprirent le dessus. Il s'abandonna, ébloui, enchanté, et au thème de la vie trop longue succéda celui de l'heure trop brève. Il est regrettable qu'il ait brûlé plus tard toutes les poésies écrites à cette époque, mais cet autodafé indique qu'elles devaient différer de sa seconde manière; pourtant les trois *Méditations* que nous avons nommées, les seules qu'il conserva, prouvent suffisamment qu'au cours de ce séjour en Italie il lut, goûta et comprit surtout les élégiaques latins.

Lamartine et ses compagnons de route quittèrent Lyon le 15 juillet et la veille Mme de Lamartine écrivait dans son journal:

«Alphonse doit demain partir pour l'Italie; ils vont en voiture à Livourne où M. de Roquemont a une maison de commerce; ils y resteront deux à trois mois. De là, ils iront à Rome et peut-être à Naples. C'est un charmant voyage pour mon fils et j'espère qu'il sera profitable à sa santé qui n'est toujours pas très forte. Mais il sera au moins très utile en ce moment pour occuper un peu l'activité de sa tête et de son imagination de vingt ans.»

À Chambéry où il s'arrêta trois jours, il rencontra Virieu et se rendit avec lui en pèlerinage aux Charmettes[205]; puis, les voyageurs prirent le chemin de Livourne en passant par Turin, Milan, Bologne, Parme et Florence[206].

Les premières impressions sont assez décevantes: «Ah! le triste pays que l'Italie, écrit-il à Virieu, si on veut y vivre avec les vivants! aucune politesse, aucune prévenance, personne qui réponde aux vôtres. Voilà du moins ce que j'ai vu jusqu'à Bologne. Quand je trouve un Français, je l'embrasserais volontiers. Je parle à tous nos soldats que je rencontre, ils sont plus aimables qu'un seigneur italien[207].» Il oubliait qu'être Français, à cette époque d'oppression française, n'était pas un titre de recommandation à l'étranger.

Arrivé à Livourne au début de septembre, il demeura deux mois dans cette ville anti-artistique s'il en fut, assez désabusé et regrettant comme toujours ce qu'il avait fui si joyeusement[208]. Pendant que M. Haste s'occupait des affaires de son beau-père, il poussa quelques pointes à Florence, à Pise, à Vienne, guettant l'arrivée prochaine de Virieu pour entreprendre le voyage de Rome[209]. Mais celui-ci se faisait attendre et un événement imprévu vint encore retarder le projet. M. Haste perdit son père et fut obligé avec sa femme de regagner Lyon sans retard.

«Alphonse est alors resté seul, écrit la mère le 9 novembre. Ses oncles et tantes étaient d'avis qu'il revînt aussi, mais nous avons trouvé avec mon mari qu'il serait trop cruel de ne pas le laisser aller jusqu'à Rome dont il est si près et nous lui avons permis de continuer jusque-là. Il a aussi demandé d'aller passer huit jours à Naples chez M. de Fréminville, auditeur sous-préfet à Livourne, avec qui il s'est fort lié, et nous avons accordé. Le seul obstacle à la prolongation de son voyage est l'argent: ses oncles et tantes ont donné entre eux soixante-douze louis, et nous, ce que nous avons pu, ce qui n'est pas bien considérable. Enfin, il ménagera de son mieux pour pouvoir aller plus loin; cela l'accoutumera à l'économie dont il avait grand besoin.»

Ainsi, grâce à l'exquise bonté de sa mère, Lamartine triomphait encore; aussitôt il quitta Livourne pour se rendre à Rome où il arriva le 1er novembre, sans Virieu retenu toujours au Grand-Lemps[210].

Ici, la documentation devient difficile; nous avons bien plusieurs lettres de lui qui exposent sa vie et ses impressions dans la Ville éternelle, mais elles se contredisent parfaitement. Le carnet de voyage reflète le désenchantement le plus absolu; la *Correspondance* est vive, spontanée, pleine d'enthousiasme: c'est que l'un fut écrit, on le sait, avec l'idée vague d'une publication future, tandis que les lettres nous donnent l'expression de ses véritables sentiments.

La description qu'il a laissée de Rome dans son carnet est sèche et soignée; c'est un tableau banal, sans plus, mais la seule note personnelle qu'on y rencontre mérite une mention, car elle prouve une connaissance avertie de la nature perpétuellement insatisfaite qu'il possède. On a vu sa joie enfantine au départ de Mâcon, et tout ce qu'il a mis en œuvre à Livourne pour atteindre Rome; une fois au but, voici ce qu'il en pense: «Je m'étais trop accoutumé, dit-il, à l'idée de voir Rome, ce nom-là avait perdu pour moi de son enchantement; je l'avais prononcé trop souvent, l'illusion était diminuée. C'est un malheureux effet qu'avec mon caractère j'éprouve partout et pour tout. De loin c'est quelque chose, et de près... c'est moins que ne me promettait mon imagination qui va toujours trop loin et me ménage sans cesse de tristes surprises; elle promet plus que la réalité ne peut donner et, ici comme ailleurs, elle m'avait trompé.» Il n'y a pas dans cet aveu que des souvenirs littéraires.

Le reste des impressions de voyage est quelconque, les clairs de lune, les ombres vaporeuse s'y mêlent à des souvenirs classiques et à de pompeuses réflexions; les lettres ont un autre prix.

«Je suis à présent fou de Rome, écrit-il à Mme Haste le 15 novembre; c'est un paradis pour moi. Le matin, je cours, et j'ai bien de quoi m'occuper, je vous assure; je dîne à quatre heures avec d'aimables compagnons de course, et puis une longue leçon d'italien et puis des artistes à aller voir, et le spectacle et quelques *converzationi* ne me laissent pas une minute d'ennuy.... Florence n'est rien auprès de Rome, je me pendrais si je ne l'avais pas vue. Je forme l'agréable projet d'y venir passer une bonne partie de ma vie, c'est le paradis des artistes et des oisifs[211].»

«Poète» et «artiste», au sens assez vague qu'il donnait alors à ces mots, Lamartine ne crut jamais l'être plus sincèrement qu'à cette époque. Artiste, depuis le séjour à Lyon, voulait dire bien des choses: cela signifiait qu'on méprisait le reste du monde et ses banales coutumes, qu'on vivait à sa guise, au gré du moment et sans l'accablant souci du lendemain. Pour être un parfait artiste, encore fallait-il une condition essentielle à ses yeux de vingt ans: l'oisiveté, la délicieuse liberté, loin de la famille antipoétique.

On retrouve le même enthousiasme dans une lettre à Virieu; elle est datée du 18 novembre, soit de trois jours seulement postérieure à la première; mais comme on relève entre les deux de notables différences de détails, il devient assez difficile de connaître exactement quel genre de vie mena Lamartine à Rome:

«...Tu sais que je suis à Rome depuis un certain temps, *j'y mène la vie d'un ermite*, j'erre le matin dans ses vastes solitudes, *tout seul le plus souvent*; je visite, un livre dans ma poche, ces belles et désertes galeries des palais romains, le soir je travaille ou vais visiter quelques artistes;... *il y a huit jours que je n'ai mis les pieds au spectacle.* Rome me plaît au delà de toute expression: son aspect, ses mœurs, son silence, sa tranquillité me font du bien. Si jamais des malheurs irréparables m'arrivaient, je viendrais me fixer ici. Je crois que c'est le lieu qui convient le mieux à la douleur, à la rêverie, aux chagrins sans espoir[212].»

C'est le thème mélancolique du Carnet; mais si les deux lettres témoignent de la même admiration, on voit aussi qu'elles offrent un certain contraste. Laquelle est sincère? probablement les deux. Comme à Mâcon, Lamartine connut à Rome des revirements soudains, et chaque fois qu'il exprimait un état d'âme sa bonne foi était absolue. De son côté, Mme de Lamartine recevait des lettres fiévreuses, et elle écrivait le 3 novembre:

«Alphonse m'a écrit une lettre de Rome, dans le premier enthousiasme, sur toutes les beautés qu'il voyait. Il était vraiment enchanté, et il m'a fait partager son bonheur. Si j'étais plus riche, ajoute-t-elle mélancoliquement, je voudrais aller voir cette ville si célèbre, mais je dois à présent renoncer à toutes les satisfactions de ce monde.»

Ainsi, il semble que Lamartine goûta très profondément la splendeur de Rome et s'y plut même au point d'hésiter à partir pour Naples. Il s'y décida pourtant à la fin de novembre[213].

De tout le voyage d'Italie, c'est assurément le séjour à Naples qui lui laissa les plus fortes impressions. La *Correspondance*, les *Confidences*, les *Mémoires inédits* témoignent de l'inoubliable souvenir qu'il en conserva. Cette fois, les projets d'étude étaient loin, la prose fut abandonnée et la poésie reprit ses droits: odes légères, païennes, latines, pleines de la joie de vivre, qui figurent par des rappels de ton dans des strophes exquises du *Passé*; par elles on peut se rendre compte de ce que furent ces premiers poèmes, détruits plus tard parce qu'ils portaient l'empreinte de la vie indolente et facile de Naples qu'il goûta sous ses deux formes les plus habituelles, l'amour et le jeu.

Si l'on parvient à combler les lacunes de la *Correspondance*, manifestement très importantes pour 1811, il sera alors possible de connaître en détail la vérité sur ce séjour à Naples qui demeure encore très mystérieux. Peut-être l'épisode de *Graziella* contient-il des morceaux autobiographiques aussi véridiques que *Raphaël*, peut-être les *Mémoires inédits* sont-ils exacts sur bien des points; actuellement, pourtant, nous manquons de contrôle et, connaissant la poétique manière dont Lamartine a souvent traité ses souvenirs, il serait hasardeux ici de les accepter à la lettre.

Mais Graziella, néanmoins, n'est pas qu'une héroïne de roman. Nous savons en effet par une des lettres publiées par M. Doumic, qu'elle exista réellement, bien mieux même, qu'elle porta la première ce nom d'Elvire qui devait plus tard immortaliser Mme Charles[214]. Aujourd'hui, le seul renseignement précis que nous possédions sur la petite cigarière de Naples est celui-ci: En 1816, Lamartine avait fait parvenir à Mme Charles quelques-uns de ses poèmes; ils faisaient partie, sans doute, de ces deux volumes d'élégies composées de 1811 à 1813, et inspirées, prétend Lamartine, par la mémoire de Graziella désignée sous le nom d'Elvire. Aussitôt, Mme Charles interrogea Virieu sur cette première Elvire et celui-ci répondit avec assez de désinvolture: *Oui, c'était une excellente petite personne pleine de cœur et qui a bien regretté Alphonse; mais elle est morte, la malheureuse! elle l'aimait avec idolâtrie! elle n'a pu survivre à son départ.* Et Mme Charles, en rapportant ces paroles à Lamartine, ajoute: «Oh, mon Alphonse! qui vous rendra jamais Elvire? qui fut aimée comme elle? qui le mérite autant? Cette femme angélique m'inspire jusque dans son tombeau une terreur religieuse. Je la vois telle que vous l'avez peinte et je me demande ce que je suis pour prétendre à la place qu'elle occupait dans votre cœur».

De ceci on peut déduire que la fin de Graziella, tout au moins, est exacte; mais Mme Charles ne s'exagérait-elle pas la passion de Lamartine pour la jeune fille? Par Graziella, comme par elle plus tard, comme par toutes les femmes, il se laissa sans doute doucement adorer, avec quelque cruauté, et quitte à pleurer plus tard ce qu'il avait perdu.

Lamartine arriva à Naples le 1er décembre 1811; encore tout ébloui des merveilles de Rome, son intention était de n'y demeurer que peu de jours. Logé chez un cousin de sa mère, M. Dareste de la Chavanne, directeur des Tabacs, il pensait s'y ennuyer. Mais, dix jours après son arrivée, il reconnut que Rome était dépassée. Les notes de voyage—«d'itinéraire» qu'il s'était imposé—furent abandonnées le 13 décembre, et ses lettres à Virieu montrent à l'évidence l'intensité voluptueuse des sensations nouvelles qu'il connut sous le ciel de Naples. Le 15 décembre, il écrit: «Je suis ici peut-être encore pour un petit mois, et qui sait? peut-être plus. Je n'ai fait aucune économie parce que étant tout seul je n'ai pas le courage d'en faire. J'ai tout jeté par les fenêtres et je suis à sec[215].» Un mois après son arrivée il était encore soumis au charme, ce qui peut paraître rare chez lui. La lettre est trop révélatrice de cet état d'âme pour ne pas la citer:

«Sais-tu que dans ma belle indifférence j'étais tenté de ne pas venir à Naples? J'aurais perdu le plus beau spectacle du monde entier qui ne sortira plus de mon imagination, j'aurais manqué ce qu'il y a de plus intéressant en Italie pour une tête faite comme la nôtre. Les mots me manquent pour te décrire cette ville enchantée, ce golfe, ces paysages, ces montagnes uniques sur la terre, cet horizon, ce ciel, ces teintes merveilleuses. Viens vite, te dis-je, et tu crieras plus haut que moi.

«Je suis solitaire, je vis seul, partout seul, avec mon domestique et un guide. Je suis monté seul au Vésuve, j'ai déjeuné seul dans l'intérieur du cratère, je suis allé seul à Pompéi, à Herculanum, à Pouzzoles, partout; demain je vais seul à Baïa. Ah! que n'es-tu ici! Pourquoi le ciel a-t-il refusé à mes prières un compagnon tel que toi? mais je me soumets et me tais. Respectons les décrets de cette Providence inconnue que je cherche toujours et que je crois sentir quelquefois, surtout dans le malheur, Qu'en penses-tu?

«Je me trouve en ce moment-ci sans le sol et avec des dettes à Naples. Je ne pourrai pas en partir si je ne trouvais pas une âme *charitable* qui eût la complaisance de me prêter quelques ducats. Je ne sais trop si je les trouverai. Je m'endors là-dessus et fais une dépense de fol en attendant. Tu ne saurais croire à présent à quel point je porte l'insouciance et l'imprévoyance partout, c'est l'air du pays: Je deviens un vrais lazzarone. J'ai gagné enfin le sommet élevé du haut duquel je vois tout sans que rien m'atteigne. Je dors, j'oublie le beau toscan, le majestueux romain, je parle napolitain, c'est une autre langue; je ne fais rien, rien du tout, je lis à peine des bêtises que j'ai lues cent fois; je ne vais ni dans la société ni même aux théâtres; je ne suis plus qu'un lourd composé de paresse, de mollesse, de fierté et de petitesse, ça m'est égal[216].»

Ainsi Florence et ses monuments, Rome et ses ruines, tout le charme mélancolique de l'Italie, cédèrent, de son propre aveu, devant le paysage et le soleil de Naples, *ce qu'il y a de plus intéressant en Italie pour une tête faite comme la nôtre.* Ainsi la simple nature l'emporta cette fois sur le décor, mais toujours avec l'indispensable élément sans lequel à ses yeux toute jouissance était imparfaite: la solitude. Ainsi l'indifférence la plus absolue fit vite place à l'inquiétude de cet insatisfait.

À Naples, Lamartine connut les seules minutes d'apaisement et d'équilibre moral de toute sa jeunesse. Il y lut «des bêtises» et en fit pas mal; il écrivit des vers agréables mais dans le goût du temps, et il apparaît encore ici pleinement que chez lui, les grandes choses, ne s'engendreront jamais que dans la tristesse. À ne considérer strictement que ses résultats, ce voyage d'Italie ne lui fournit que des thèmes lyriques un peu factices et dépourvus d'originalité; il ne fut jamais fait pour chanter l'allégresse, mais la douleur.

À la fin de janvier 1812 pourtant, il en arriva à être saturé de plaisirs, «sans émulation et sans curiosité pour rien[217]». «Sans l'espoir de te voir arriver, écrit-il alors à Virieu, il y a longtemps que j'aurais secoué la poussière de mes pieds. Je suis sans le sol, je viens de me mettre à jouer, j'ai gagné en deux jours une quarantaine de piastres. Je vais peut-être les reperdre ce soir en voulant pousser plus loin. Je maudis tout.» C'était la réaction habituelle; la lassitude succédant sans transition à l'enthousiasme.

Sous l'empire d'un tel état d'esprit et dans la situation pécuniaire où il se trouvait, rien ne le retenait plus à Naples, si ce n'est l'idée de reprendre sa vie monotone à Milly. Il regagna pourtant la France, mais sans hâte, s'attardant quelques semaines encore à Florence, puis à Rome. Après un court arrêt sur les bords du lac Majeur il traversa la Suisse et arriva à Mâcon au début de mai[218].

L'accueil qu'on lui fit fut assez froid; on en trouve la preuve tacite dans la disparition de quelques feuillets du *Journal intime*, feuillets qui sont cités à la table du petit cahier avec la mention: *retour d'Alphonse, oisiveté, découragement.* Cette mutilation, comme beaucoup d'autres, est l'œuvre de Lamartine. Lorsqu'il rédigea à la fin de sa vie *le Manuscrit de ma mère*, il n'hésita pas, craignant sans doute que la postérité ne les retournât contre lui, à détruire plusieurs pages où sa mère avait noté en pleurant toutes les manifestations de son caractère ombrageux et difficile.

Car le jeune homme s'accommoda mal de la petite vie régulière et simple qu'il lui fallut reprendre au retour. Après dix mois d'indépendance, le contraste fut violent et insupportable, d'autant qu'il avait pris en Italie le goût de plaisirs insoupçonnés jusqu'alors et l'habitude de dépenses qu'il ne pouvait guère satisfaire sous l'œil sévère de l'oncle de Montceau. Après le golfe de Naples et sa lumière, les collines de Milly lui parurent grises, sans horizon. Il devint sombre, incapable d'un effort pour se reprendre, s'enferma dans sa chambre à pleurer[219].

À traîner ainsi son désœuvrement et sa mélancolie, il finit par inquiéter même son père qui, pour l'occuper un peu et l'attacher davantage à ce pays qu'il avait pris en horreur, le fit nommer maire du village[220]. À la fin de mai, n'y tenant plus, il se sauva à Montculot, sa retraite habituelle lorsqu'il voulait vivre avec ses souvenirs, car le brave abbé n'était pas gênant et le laissait libre[221]. Là, il lui emprunta quelques louis et hanté par Paris où il pensait retrouver un peu des plaisirs de Naples, il partit s'y installer les trois premières semaines d'août. En cette saison, la ville était vide et il s'y ennuya mortellement[222]. Le 20, on le retrouve à Milly, insupportable à tous, même à sa mère qui le trouve «nerveux et un peu dur»; on devine ce que «un peu dur» signifie sous cette plume.

Comme toujours dans ces crises, fréquentes on l'a vu, depuis trois ans, il se réfugia dans la solitude, écœuré de cette vie «trop longue»[223]. Puis l'imagination se mit à vagabonder et lui rendit quelque force: il rêva d'un ermitage à la Rousseau où Virieu et Guichard seraient ses compagnons[224] et, pour se distraire, il rima en quinze jours le premier acte d'un *Saül*, fuyant le monde non plus cette fois par timidité, mais par dégoût et mépris; le mariage de sa sœur le «dérangeait» et le «cher beau-frère» l'ennuyait[225]. Petite vanité d'adolescent qui vient de découvrir le monde et médit de sa mesquine province. Il ne faut pas s'exagérer la portée de ce nouvel état d'esprit, mais on doit constater seulement qu'au retour d'Italie, Lamartine souffrit d'une rechute aiguë de sa neurasthénie.

CONCLUSION

LAMARTINE À VINGT ET UN ANS

Les enfants qui naquirent du début de la Révolution à la fin de l'Empire connurent tous une jeunesse à peu près identique; elle influera profondément sur leurs destinées futures et déterminera jusqu'en 1830 le malaise général appelé romantisme et qu'il ne faut pas limiter à la seule littérature.

Cette jeune génération a été jugée de trois manières différentes, mais qui toutes se justifient aisément pour peu que nous nous replacions dans les conditions où ces opinions contradictoires ont été formulées.

Aux yeux de leurs parents, gens du XVIIIe siècle et endurcis par les rudes épreuves de la Révolution, ces adolescents apparaîtront le plus souvent comme des incapables et des inutiles, désarmés devant l'existence, amollis par leur éducation toute féminine et qui rompent avec les saines traditions de la famille. Les mères les ont élevés jalousement, avec la crainte éternelle de les voir parcourir l'Europe à la suite du conquérant: ainsi tenus à l'écart de la seule activité que connurent les hommes d'alors, puisque la politique était muselée, ils se réfugièrent entièrement dans le monde de la pensée; l'énergie virile finit par s'user chez cette jeunesse contemplative et câlinée et leur âme n'exista bientôt plus comme volonté, mais comme sensibilité.

À leurs propres yeux, ce qu'ils parviendront à voir de plus clair en eux-mêmes sera l'indécision de leur nature, incapable de rien fixer, déroutée qu'elle est par le contraste absolu du milieu et de leur personnalité. Les principes du passé dans lesquels ils ont été élevés leur pèsent durement, car ils ne cadrent plus avec les conditions de la vie nouvelle et surtout avec l'âme que les événements leur ont faite. Il en résultera un conflit perpétuel de sentiments intérieurs, une incertitude du but à atteindre, en un mot un véritable déséquilibre moral où le découragement et la lassitude finiront par dominer. À force de ne voir personne autour d'eux répondre aux passions, d'ailleurs indécises, qui les tourmentent, ils en arriveront vite à se croire différents du reste du monde, les uns avec orgueil, les autres avec tristesse; de bonne heure tout effort leur paraîtra vain, et ils vivront dès lors entièrement en eux-mêmes, dans une solitude mélancolique qui achèvera d'exaspérer leur sensibilité et de ruiner leur énergie morale.

Aux yeux de la postérité enfin, ils seront des individus encore hésitants et isolés, doutant de leur destinée jusqu'au jour où le groupement en commun les révélera à eux-mêmes en apportant à chacun la preuve que les sentiments confus et contradictoires qui l'agitent ne lui sont pas particuliers.

Lamartine à vingt et un ans résume en lui tous les caractères de ces jeunes âmes inquiètes où le passé et le présent se livrent une lutte de tous les instants.

À considérer le romantisme comme une expansion débordante de l'individu, il est en date et en fait le premier des romantiques; il devient au contraire le dernier des classiques si l'on étudie le mouvement littéraire de son époque en tant qu'affranchissement des vieilles formules. C'est qu'en réalité son œuvre reflète sa vie même, classique de forme, romantique de pensée, comme toute son adolescence où l'on assiste au conflit quotidien de ses aspirations très romantiques et de son éducation très classique.

Dans toute destinée, il est une part dont l'homme n'est pas responsable, faite de trois éléments infiniment délicats et qu'il est difficile d'apprécier à leur valeur. L'un comporte ce que les ancêtres lui ont transmis d'instincts ataviques, peu à peu anéantis, modifiés ou développés selon les circonstances ou les conditions nouvelles de la vie; l'autre est l'œuvre de ceux dont il dépend pendant son enfance et qui assument la tâche de façonner son âme au moment où elle est encore molle; le dernier, enfin, comprend la manière dont la société l'accueille le jour où il est forcé d'avoir recours à elle, avec sympathie, pitié, mépris ou indifférence. C'est leur étude que nous avons tentée pour Lamartine dans les pages qui précèdent et il nous semble que si on voulait maintenant les résumer brièvement il serait possible de le faire ainsi:

Une hérédité saine et attachée au sol natal, foncièrement religieuse et point corrompue par les théories matérialistes du XVIIIe siècle; un milieu intransigeant et formaliste qui s'efforce de perpétuer tardivement les traditions du passé, et redoute d'autant plus les idées du temps qu'il les croit issues d'une époque dont il a souffert et d'un régime qu'il abhorre; une mère profondément pieuse, aimante et tendre, mais sentimentale à l'excès, inquiète et doutant d'elle-même; un père excellent, quoique indifférent aux nuances de l'âme; un décor naturellement mélancolique, mais qui le deviendra davantage encore aux yeux d'un adolescent avide de sensations nouvelles, de plaisirs et de liberté.

Puis un enfant dont les premières années ont été assombries et silencieuses, d'une nature tendre, comme celle de sa mère, décidée et volontaire, comme celle des Lamartine; une première éducation toute paysanne et maternelle, remplacée sans transition par l'internat loin du foyer et dont la contrainte l'affecte profondément; plus tard, des études peu solides et exclusivement religieuses chez les Jésuites de Belley où s'exalte encore sa précoce sensibilité.

Enfin, à dix-huit ans, le retour dans la famille, début d'une période de long désœuvrement. Dès cette époque, sinon une vocation littéraire très nette, du moins une extrême facilité pour la poésie; mais aucune direction dans ses goûts qu'il lui faut cacher, aucun plan d'études sérieusement organisé, en un mot une dépense inutile d'énergie accrue encore par une imagination impossible à maîtriser et des lectures d'autant plus impressionnantes qu'elles sont faites en secret; une âme mobile et pleine de contrastes, à la merci de toutes les chimères, prompte à s'enthousiasmer mais qu'un rien rebute, et faite de revirements brusques comme si elle était perpétuellement à la recherche de l'équilibre qui lui manque; des froissements avec le chef de famille, dont il sort aigri et découragé; des amis qu'il voit de loin en loin et dont le meilleur des confidences s'échange par lettres toujours plus exagérées et moins soulageantes que les paroles; quelques amourettes plus cérébrales que physiques, des ébauches poétiques qui l'enflamment encore: en tout, enfin, une conception uniquement littéraire et romanesque de l'existence.

La famille s'inquiète de ces tendances et commence alors à les combattre par tous les moyens dont elle dispose; elle décide enfin de l'éloigner, et c'est le voyage d'Italie pour changer d'air ce grand garçon dont l'oisiveté irrite sourdement les siens. Mais les conséquences n'en furent pas celles qu'ils avaient prévues, puisqu'au retour de Naples le fossé va s'approfondir encore entre le jeune homme et son milieu.

Ici se termine la jeunesse de Lamartine; dans une seconde partie, qui comprendra les années 1812-1820, nous étudierons prochainement les deux grandes crises morales qui le mûriront en modifiant complètement sa nature et d'où naîtront les *Méditations*.

Mâcon-Paris, 1908-1910.

APPENDICE

GÉNÉALOGIE ET BIBLIOGRAPHIE DE LA FAMILLE DES ROYS

Descendance d'**Antoine Grimod** et de **Marguerite le Juge**. (Sept enfants.)			
Ier Rameau: **de la Reynière**, fondu dans les familles DE MAC-MAHON, DE ROSANBO, DE LA TOUR DU PIN-VERCLAUSE et DE TOCQUEVILLE.			
Gaspard Grimod (1687-?), ép.: 1° Jeanne Labbé (?); 2° Marie Mazade (1719) (remariée à Honoré de la Ferrière).			
|			
|	|	|	|
1er lit. Jean-Gaspard G. de la Reynière (1723-1797), ép. Françoise de Jarente (1753).	*1er lit.* Marie-Françoise G. de la Reynière, ép. Jean-Louis Moreau de Beaumont (1743). S. P.	*2e lit.* Françoise-thérèse G. de la Reynière, ép. Chrétien Guillaume de Lamoignon de Malesherbes.	*2e lit.* Marie-Madeleine G. de la Reynière, ép. Marc-Antoine de Lévis-Lugny.
|		|	
Alexis-Baltazar Laurent G. de la Reynière (1785-1837) ép. Adèle Thérèse Feuchère. S. P.		Marguerite-Thérèse de Lamoignon ép. Louis le Peletier de Rosanbo.	
		|	
	|	|	|
	Jean-Marie-Louis de Rosanbo (1777-1856), ép. Henriette-	Thérèse de Rosanbo (1771-1794), ép. J.-B.-Auguste de	Louise-Madeleine de Rosanbo (1771-1856), ép. J. Bonaventure de

	Geneviève d'Andlau (1798).	Chateaubriand (1786).	Tocqueville (1796).
	|	|	|
|	|	|	|
Henriette-Madeleine de Rosanbo, ép. Charles, marquis de Mac-Mahon.	Ludovic de Rosanbo (1805-1862), ép. Elisabeth-Aglaé de Ménard.	Louis-Geoffroy de Chateaubriand (1790-1878), ép. Henriette-Zélie d'Orglandes.	Alexis-Charles-Henry de Tocqueville (1805-1859).

IIe Rameau: fondu dans les familles DARESTE, D'HAUTEROCHE, CARRA DE VAUX, et par les LAMARTINE dans les familles DE CESSIAT, DE COPPENS, DE LIGONNÈS, DE MONTHEROT et leur postérité.						
			Marguerite Grimod, ép. 1° François Mauverney; 2° Charles Gavault.			
			|			
			Françoise Mauverney, ép. Charles Gavault (fils d'un premier lit du précédent),			
			|			
	|		|			
	Françoise Gavault, ép. Jacques Dareste de la		Marie-Marguerite Gavault, ép. Jean-Louis Des			

	Plagne (1743).		Roys (1757).			
	|		|			
|	|	|	|	|	|	|
Antoine Dareste de la Chavanne, ép. 1° Jeanne Palais (1784); 2° Charlotte Charvait (1799).	Marie-Antoinette Dareste de la Chavanne, ép. François-Pierre Boussard d'Hauteroche (1774)	Claudine Dareste de la Chavanne, ép. Auguste Vasse de Roquemont (1782)	Césarine Des Roys,ép. Pierre-Benoît Carra de Vaux (1788).	Catherine Françoise Des Roys. ép. Charles Henrion de Saint-Amand (1778).	Émilie Des Roys, ép. X. Papon de Rochemont (1783).	Alix Des Roys ép. Pierre de Lamartine (1790).
|			|	|	|	|
J.-B. Dareste de la Chavanne (1789-1879), ép. Claire-Marie Dareste, sa cousine (1820).			Alexandre Carra de Vaux, ép. Nathalie Marchand (1832).	Angélique Henrion de Saint-Amand (1781-1810), ép. 1° Claude Amable, marquis de Prez; 2° Joseph-Marie, vicomte Pernetty. S. P.	Françoise Papon de Rochemont, religieuse.	Alphonse de Lamartine (1790-1869). S. P.

IIIe Rameau: **de Dufort d'Orsay**, fondu dans la famille ducale DE GRAMONT.		
	Pierre Grimod de Dufort d'Orsay (1692-1748), ép. 1° Florimonde Savalette (1736);	

	2° Elisabeth de Gourtin (1745); 3° M. A. Félicité de Caulaincourt (1748).		
	|		
	3e lit. Albert Gaspard Marie, comte d'Orsay (1748-?), ép. 1° Amélie, princesse de Croÿ; 2° Josèphe de Hoenloe Bartenstein (1784).		
	|		
	Marie-Albert Gaspard, comte d'Orsay (1772-1843), ép. Éléonore de Franquemont (1792).		
	|		
	|	|	
	Gillion Gaspard Alfred, comte d'Orsay (1801-1852), ép. Anne-Françoise Gardiner (1827). S. P.	Anna-Ida d'Orsay (1802-1882), ép. Héraclius, duc de Gramont (1818).	
		|	
Antoine-Alfred Agénor de Gramont (1819-1880), ép. Marie Mac Kinnon (1848).	Antoine-Auguste de Gramont, duc de Lesparre ép. Marie-Sophie de Ségur (1844), branche éteinte dans les mâles	Alfred-Théophile de Gramont (1823-1881), ép. Charlotte-Cécile de Choiseul-Praslin (1848).	Aglaé-Ida de Gramont (1836-1875), ép. Théodore, marquis du Praz (1850).

IVe Rameau: **de Verneuil**, fondu dans la descendance de LUCIEN BONAPARTE, prince de CANINO.

	Antoine-François Grimod de Verneuil (1696-1765), ép. Henriette-Adélaïde de Tilly (1736).		
	Marie-Gasparde Grimod de Verneuil (1738-1804), ép. Jean-Charles Bouvet (1759).		
	Jeanne-Louise-Bouvet (1759-1817), ép. Charles-Jacob de Bleschamp (1777).		
	Alexandrine de Bleschamp (1778-1855), ep. 1° Henry Jouberthon (1797); 2° Lucien-Bonaparte (1802).		
Charles-Lucien-Jules Bonaparte (1802-1857), ép. Charlotte Bonaparte (1822).	Lætitia Bonaparte (1804-1862), ép. Thomas Wyse (1834).	Louis-Lucien Bonaparte (1813-95), ép. Marianne Cecchi (1832). S. P.	Pierre Napoléon Bonaparte (1815-81), ép. Justine-Éléonore Ruflin.
			Roland Bonaparte, ép. Marie Blanc (1880).

	Marie Bonaparte, ép. prince George de Grèce.

Tableau généalogique de la famille **Des Roys** (1500-1790).							
		Mathurin Des Roys, religieux.	Louis Des Roy, religieux	Denis Des Roys ép. 1° Claude de Lagrevol; 2°Isabelle Vacherelle.	Catherine Des Roys, ép. Pierre Aurelle.		
				|			
|		|		|	|	|	
Antoine Des Roys, ép. Marguerite de Jussac de Baulmes (1533).		Pierre Des Roys, ép.?		Antoine Des Roys (le jeune), religieux.	Aymard Des Roys, religieux.	Marthe Des Roys, ép. Antoine de Romezin d'où postérité, éteinte au cours du XVIIIe siècle.	
		|					
		|	|			
		Sébastien Des Roys, ép. Claude de Guilhon (1588).	Claude Des Roys, mort sans alliance.				
		|					
	|	|	|	|			
	Gaspard Des Roys, ép. Jeanne de Cohacy (1588) (sans postérité).	Melchior Des Roys, ép. Françoise Faure de Marnans (1619).	Marie Des Roys, ép. Jean Pollenon d'où postérité.	Pierre Des Roys, ép. Catherine Des Olmes (1618).			
		|					
|	|	|	|	|	|	|	|
Baltazar Des Roys, ép. Claude des Olmes (1650).	Marie Des Roys, ép. Pierre Roche (sans postérité).	Marie Magdeleine Des Roys, religieuse.	Marie Amable Des Roys religieuse.	Marie Des Roys, ép. Jacques Rochet d'où postérité.	Philiberte Des Roys, ép. Louis de Romezin du Sarzier.	Claude Des Roys, mort sans alliance.	Jeanne Des Roys, ep. Antoine Varillon

<table>
<tr><td></td><td></td><td></td><td></td><td></td><td></td><td></td><td>d'où postérité.</td></tr>
<tr><td>|</td><td></td><td colspan="3"></td><td>|</td><td colspan="2"></td></tr>
<tr><td>|</td><td>|</td><td colspan="3"></td><td>Marie de Rornezin, ép. 1° Claude Ferrapie (1685); 2° Cristofle Des Roys, son cousin.</td><td colspan="2"></td></tr>
<tr><td>Pons Gaspard Des Roys, ép. Louise Demeure (1679).</td><td>Cristofle Des Roys, ép. Marie de Romezin, veuve de Claude Ferrapie (1701).</td><td colspan="6"></td></tr>
<tr><td>|</td><td colspan="7"></td></tr>
<tr><td>Claude Des Roys, ép. Françoise Pagey (1717).</td><td colspan="7"></td></tr>
<tr><td>|</td><td colspan="7"></td></tr>
<tr><td>Jean-Louis Des Roys, ép. Marguerite Gavault (1757)</td><td colspan="7"></td></tr>
<tr><td>|</td><td></td><td colspan="6"></td></tr>
<tr><td>|</td><td>|</td><td colspan="6"></td></tr>
<tr><td>Césarine Des Roys, ép. Pierre Carra De Vaux (1788).</td><td>Alix Des Roys, ép. Pierre de Lamartine (1790).</td><td colspan="6"></td></tr>
<tr><td>|</td><td>|</td><td colspan="6"></td></tr>
<tr><td>Alexandre Carra de Vaux.</td><td>Alphonse de Lamartine.</td><td colspan="6"></td></tr>
</table>

Bibliographie des œuvres de Lyon Des Roys.

L'ILLUSION, vers couronnés, in-8 de 6 p. (s. l. s. d.).

L'ANESSE, moralité, in-8 de 3 p. (s. 1. s. d.).

LE TABAC, poème, au Cn D*** fabricant de tabac, in-8 de 5 p. (s. 1. s. d.).

LA GÉOMÉTRIE en vers techniques-; *il existe deux éditions de cet opuscule.* 1°: par D. R. ancien doyen de Mortain (?), maître de mathématiques. À Paris, chez les libraires du Palais. -; Egalité an IX-1801 (in-8 de 18 p.); 2°: par Desrois ancien doyen de Mortain. À Paris, chez l'auteur rue de la loi maison du C^{n} Dareste n° 74, près la rue Feydau, an IX-1801 (in-8 de 20 p.).

EPITRE AUX COMÉDIENS, par Desroys [*avec cette épigraphe*:] facit indignatio versum. -; Se vend au Palais du Tribunal, galerie de la Foi, n° 50, où l'on trouve la tragédie du Dernier des Romains, la Géométrie envers, l'Illusion. An X (in-8 de 6 p.).

EPITRES à Dazincour, à Madame D. L. V. jouant de la harpe, etc., par Desroys auteur de l'épitre aux comédiens -; prix; 50 centimes. À Paris chez Desenne, libraire du Tribunal, n° 2, et chez les marchands de nouveauté. An X-1802 (in-8 de 8 p.).

LE DERNIER DES ROMAINS, tragédie en cinq actes par D. R. [*avec cette épigraphe*:] Quam dulcis sit libertas... ostendam. Prix. 1 fr. 65. À Paris chez Barba et Desenne au septième (in-8 de 74 p.).

ŒUVRES DRAMATIQUES de ***. Le dernier des Romains, tragédie en cinq actes. L'anti-philosophe, comédie en cinq actes et en vers. À Paris an VIII (1800) (in-8 de 162 p.).

1811-10, -; Coulommiers. Imp. PAUL BRODARD.—3-11.

NOTES

[1] Sainte-Beuve, *Portraits contemporains*, t. I (Lamartine).

[2] *Le Manuscrit de ma mère*, prologue et épilogue par A. de Lamartine (Paris, 1871, in-8).

[3] Voici la description des 12 petits cahiers—et non pas 22, comme l'a écrit Lamartine dans la préface des *Confidences*—du *Journal intime* qui s'étend de 1800 à 1829:

Tome	I	:	13 déc. 1800-24 août 1801. 81 p., in-16.
	II	:	20 août 1801-8 avril 1802. 140 p., in-16.
	III	:	16 avril 1802-21 juin 1803. 153 p. plus 8 p. de comptes, in-6.
	IV	:	23 juin 1803-22 octobre 1804. 118 p., plus 4 p. de table, in-16.
	V	:	1er nov. 1804-3 juillet 1806. 99 p., in-8.
	VI	:	12 juillet 1800-19 déc. 1808. 139 p., plus 2 p. de table, in-8.
	VII	:	27 janvier 1809-7 mars 1811. 99 p., plus 4 p. de table, in-8.
	VIII	:	10 mars 1812-28 février 1813. 193 p., in-4°.
	IX	:	7 mars 1815-3 mai 1821. 198 p. plus 2 feuillets volants intercalés dans le texte, in-4°.
	X	:	14 juin 1821-13 oct. 1822. 87 p., in-4°.
	XI	:	11 nov. 1822-21 juin 1824. 88 p., in-4°.
	XII	:	19 juin 1824-22 oct. 1829. 80 p., plus 30 feuillets demeurés blancs, in-4°.

[4] Sources et bibliographie: *Archives municipales de Mâcon*: Registres des baptêmes, mariages et décès de la paroisse Saint-Pierre.—*Archives*

départementales de Saône-et-Loire (Série B, 1324-1371): Registres du bailliage de Mâcon où sont conservés de nombreux contrats, testaments et donations.—*Archives municipales de Cluny*: Registres des baptêmes, mariages et décès de la paroisse Saint-Marcel.—*Archives de la Guerre* (section administrative): États de services des membres de la famille qui furent officiers.—*Bibliothèque Nationale* (manuscrits): Armorial général, généralité de Bourgogne. D'Hozier, pièces originales, vol. 504 et 1873, dossiers bleus, vol. 7.—*Bibliothèque de Mâcon*: Claude Bernard, généalogie des familles de Mâcon (mss).

Tessereau, *Histoire chronologique de la grande chancellerie de France* (Paris, 1710).—Arcelin, *Indicateur héraldique du Mâconnais* (Mâcon, 1865).—Révérend Du Mesnil, *Lamartine et sa famille* (Lyon, 1869).—Lex, *Lamartine, souvenirs et documents* (Mâcon, 1890).—Lex, *les Fiefs du Mâconnais* (Mâcon, 1897).

[5] Dans l'Armorial général de d'Hozier, établi en 1696, on voit que les Lamartine portaient: «de gueules à deux fasces d'or, accompagnées en cœur d'un trèfle de même». La branche cadette de Montceau «brisait en chef d'un lambel d'argent». Le cachet de Lamartine, que nous avons pu voir, ne porte pas de lambel, puisque la branche aînée était éteinte à la fin du XVIIIe siècle, et les «fasces» ont été remplacées par des «bandes».

[6] Il existe, à notre connaissance, au moins trois de ces généalogies. L'une figure à la Bibliothèque Nationale (*Manuscrits, ancien fonds français*) et occupe les pages 1-5 du vol. 790 de la collection Moreau (t. XXXIII de l'ancien recueil Fontette). Elle a été publiée par nous dans la *Revue des Annales romantiques*, fasc. V de l'année 1905. La seconde figure au ministère de la Guerre. La troisième se trouve aux Archives de Saône-et-Loire, et a été publiée par M. Reyssié: *la Jeunesse de Lamartine*, in-18, 1892, p. 9.

[7] M. Abel Jeandet (*Annales de l'Académie de Mâcon*, 2e série, t. V, p. 117) a publié un acte en date du 14 octobre 1544, concernant un Estienne Alamartine, «bourgeois et marchand de Cluny», propriétaire à Azé. Il s'agit là sans doute d'un frère de Benoît, ou peut-être de son père, mais il nous a été impossible de l'identifier de façon certaine.

[8] La famille Tuppinier, dont une branche subsiste encore en Bourgogne, est originaire de Cluny, où l'on trouve en 1544 un Jacques Tuppinier, bourgeois de la ville, marchand drapier, marié à Antoinette de Gordon. Il est le père de Claude, marié à Françoise Alamartine.

[9] Guyot Fournier, père de Jeanne, exerça, le 31 août 1601, une reprise de fief pour la châtellenie de Prissé. La famille Descrivieux était originaire de Bresse; Charles Descrivieux était échevin de Mâcon en 1466; à la fin du XVIIIe siècle, les Descrivieux, seigneurs de Charbonnières, prirent séance en la Chambre de la noblesse du Mâconnais.

Benoît Alamartine et Jeanne Fournier eurent de leur mariage: 1° *Charles* (9 mai 1598—?); 2° *Guyot* (31 déc. 1601—?), marié à Philiberte Paillet; 3° *Claude* (28 oct. 1602—3 oct. 1609); 4° *Marguerite* (16 août 1604—3 oct. 1608); 5° Étienne (12 nov. 1600—?); 6° Jacques (9 août 1609—?); 7° *Avoye* (23 février 1612—?); 8° *Aimée* (8 juin 1613—?); 9° *Suzanne* (27 sept. 1614—?).

C'est vraisemblablement d'un des fils de Gabriel ou de Benoît Alamartine que sont issus les nombreux Alamartine existant encore dans le Charollais, et un Émilien Alamartine, notaire à Cluny au milieu du XVIIIe siècle. À signaler également un acte de mariage du 21 janvier 1782, entre Philippe Cartillet, marchand forain, et Jeanne Lamartine, tailleur *(sic)*, fille de François Lamartine, tisserand, «desquels ont déclaré ne savoir signer». Bien que l'acte ait été enregistré à Mâcon, ces Lamartine n'ont aucune parenté, même lointaine, avec ceux qui nous occupent, la forme roturière du nom étant Alamartine et non Lamartine.

[10] *La Légende de domp Claude de Guize*... s. I. 1582, in-8, réimprimée en 1744, au tome IV des *Mémoires de la Ligue.*

[11] Surnoms donnés par Regnault à l'abbé de Cluny et à son vicaire.

[12] Le 8 avril 1626, à l'assemblée des États du Mâconnais, il fut chargé de présenter les «mémoire et doléances» du Tiers-État.

[13] La famille de Pise est originaire de Mâcon. On trouve un Antoine de Pise échevin de cette ville en 1450; Philippe de Pise, garde du scel des contrats du bailliage de Mâcon (par provisions du 15 juin 1544), eut pour fils Antoine, père d'Aymée de Pise. Les de Pise devinrent en 1603 seigneurs de Flacé, par acquisition des Maugiron. Les de Ryrmon, seigneurs de Champgrenon, la Moussière, la Serve et la Rochette sont originaires de Saint-Gengoux, d'où était Hugues de Rymon, capitaine de la ville et du château, marié à Françoise Bourgeois.

[14] La famille de la Blétonnière est originaire de Cluny. Un Antoine de la Blétonnière, procureur du roi, puis juge royal en la châtellenie de Saint-Gengoux par provisions du 11 août 1617. Son fils Antoine, lieutenant en l'élection du Mâconnais. D'après le contrat de mariage de Philiberte, où les époux sont qualifiés «habitants de Cluny», on voit que les Alamartine ne résidaient pas encore à Mâcon. Étienne s'y était néanmoins marié en 1605, mais ce n'est qu'à partir de 1650 qu'on les trouve définitivement installés à Mâcon, paroisse Saint-Pierre.

[15] Jean Dumont, bourgeois de Mâcon à la fin du XVIe siècle, marié à Françoise Foillard. La famille fut anoblie en 1723, en la personne d'Émilien Dumont, secrétaire du roi.

[16] La famille Desbois, actuellement représentée par les familles de Murard, de Surigny et de la Forestille, est issue de Gabriel Desbois, bourgeois de Cluny à la fin du XVIe siècle, dont le petit-fils, Pierre Desbois, seigneur de la Cailloterie, fut anobli en 16435 par l'achat d'une charge de secrétaire du roi.

À partir d'Antoine Desbois, la charge de grand bailli d'épée du Mâconnais se transmit de père en fils dans la famille jusqu'à la Révolution.

[17] Anne Constant (?—27 sept. 1757) était fille d'Antoine Constant (1641-1716), échevin de Lyon en 1697-98, et de Anne Mollien. (Cf. Jouvencel, *l'Assemblée de la noblesse de la sénéchaussée de Lyon en 1789*. Lyon, 1907.)

[18] La famille Bernard est une des plus vieilles du pays. Un Philippe Bernard, conseiller au parlement de Paris, seigneur de la Vernette, fut envoyé en 1583 par Henri III comme ambassadeur auprès de la république de Venise. Nicolas Bernard était capitaine de Mâcon en 1502; Jean Bernard, son fils, était écuyer de Catherine de Médicis par brevet du 30 juin 1580.

[19] M. Charles de Montherot, petit-neveu du poète et possesseur du château de Saint-Point, descend donc à la fois des Lamartine d'Hurigny et des Lamartine de Montceau, puisqu'un petit-fils de Jeanne-Sibylle de Lamartine épousa en 1820 une des sœurs du poète.

[20] Arch. dép. du Loiret. D. 98 (communication de M. Jagebien).

[21] Une de ses sœurs et une de ses tantes.

[22] M. Lex a retrouvé et publié le premier (*Lamartine, souvenirs et documents*), l'acte de bénédiction de la maison de Milly: «L'an de N. S. 1705, le 15 juillet, je soussigné ay bénit la maison de M. Jean-Baptiste de la Martine, conseiller du Roy au bailliage et siège présidial de Mâcon, à six heures du soir. A. D. Dauthon, curé de Milly» (Arch. municipales de Milly). Les terres avaient à cette époque une superficie d'environ cinquante-deux hectares et s'étendaient sur les communes de Milly, Bertzé-la-Ville et Saint-Sorlin. La seigneurie de Milly était entre les mains de la famille de Pierreclau.

[23] 1° *Abel* (4 février—13 nov. 1663); 2° *Philippe-Étienne*; 3° *Françoise* (10 mai 1666—?); 4° *Antoine* (10-28 mai 1666); 5° *Claudine* (26 avril 1667—22 sept. 1672); 6° *Nicolas*; 7° *Claude* (31 novembre 1669—?); 8° *Marie* (11 nov. 1670—2 février 1750); 9° *Antoine* (11 nov. 1670—1690), mort à Paris étudiant en Sorbonne; 10° *Marianne* (21 juin 1673—16 mars 1758), mariée le 9 avril 1712 à Claude Chambre, receveur des États du Mâconnais; 11° *Louis* (16 mars 1776—1719): il reprit en 1703 la compagnie de son frère aîné dans Orléans-infanterie, et mourut au siège de Barcelone; 12° *François*; 13° *Françoise* (4 janvier 1678—?); 14° *Françoise* (15 avril 1679—?); 15° *Jean-Baptiste* (10 sept. 1680—9 juillet 1720), noyé en se baignant dans la Saône.

[24] Arch. dép. du Loiret, D. 138 et 187 (communiqué par M. Jagebien).

[25] Arch. municipales de Vichy. Série G. G.

[26] 1° *Anne* (8 janvier 1710—25 mai 1781), mariée en 1735 à Jean-Baptiste de Lamartine d'Hurigny; 2° *Louise-Françoise* (21 août 1707—?); 3° *Marie-Anne* (21 mai 1713—?), religieuse aux Ursulines de Mâcon, et connue dans la famille sous le nom de Mme de Luzy. Elle vivait encore en 1790; 4° *Marie-Claudine* (19 février 1714—?); 5° *Charlotte*, née le 21 février 1716, mariée le 26 nov. 1736 à Pierre de Boyer, seigneur de Ruffé et de Trades, morte le 13 juillet 1757.

[27] «Maurice de Saxe, duc de Gourlande et de Semigalie, maréchal général des camps et armées du roi, commandant général des Pays-Bas, etc. Laissez librement et sûrement passer le sieur de la Martine, capitaine au régiment de Monaco, pour aller en France avec ses domestiques et équipages sans lui donner aucun trouble ni empêchement. Fait à Bruxelles le 17 juillet 1748 (bon pour un mois).—M. de Saxe. Par Monseigneur, de Bonneville.» Communication de M. Loiseau.

[28] Toute cette bibliothèque fut dispersée, soit pendant la Révolution, soit au moment de la vente de Montceau. On en rencontre parfois des volumes chez les amateurs.

[29] Les Dronier, seigneurs du Villard et de Pratz sont originaires de Saint-Claude (Jura). Jean-Claude Dronier, maître en la chambre des comptes de Dole, épousa le 6 juin 1692 Marie-Claudine Chevassu. Leur fils, Claude-Antoine, conseiller au Parlement de Besançon, épousa, le 19 novembre 1719, Cécile-Eugénie Dolard.

[30] Les Lamartine prirent séance aux chambres de la noblesse du Mâconnais à partir du 27 décembre 1676.

Dans la liste électorale pour les États généraux de 1789, tenue le 18 mars en l'église Saint-Pierre de Mâcon, Louis-François y est nommé pour la châtellenie d'Igé et Domange; François-Louis et Pierre, ses deux fils, pour la prévoie de Saint-André-le-Désert (Arch. Nat., B. III 105, et de la Roque et Barthélémy, *Catalogue des gentilshommes de Bourgogne aux États généraux de 1789*, Paris, 1862). Le 28 mars, il figura également à l'assemblée des trois ordres du bailliage de Dijon, comme seigneur d'Urey, de Montculot, Charmoy, Poissot, Fleurey et Quémigny.

[31] *Collonges*, hameau de la commune de Prisse, non loin de Mâcon; *Champagne*, hameau de la commune de Pérone.

[32] La Tour de Mailly, nom aujourd'hui disparu, était situé à Igé (canton de Lugny), près du chemin de cette paroisse à Bertzé. Ce fief dépendait de la seigneurie d'Escole, et consistait en un château, «plusieurs cens et héritages» et le droit d'usage de la forêt de Malessard, domaine royal. Louis-François

l'acquit en 1730 de Melchior Cochet, et exerça une reprise de fief le 4 mai 1748.

[33] Cf. Arch. Nat., F. 12/107, p. 854. «Mémoire du sieur de Lamartine par lequel il sollicite divers privilèges et faveurs pour les deux manufactures de fil de fer et de fers noirs qu'il possède aux Combes, près Saint-Claude-sur-Bienne, et à Morez du Jura, et où il demande qu'il soit interdit au sieur Muller de maintenir l'établissement analogue aux siens qu'il a commencé d'installer au village de Champagnole.» (1er sept. 1789).

[34] Sources et bibliographie: *Titres et papiers de la famille Des Roys* (XVe-XIXe siècle), communiqués par M. le baron Carra de Vaux.—*Archives dép. de la Haute-Loire.*—*Archives municipales de Montfaucon.*

Obituarium Lugdunensis ecclesiæ (Lyon, 1867, éd. Guignes).—*Obituarium Sancti-Pauli Lugdunensis* (1872, id.).—*Obituarium Sancti-Petri Lugd.* (1880, *id.*, *ibid.*).—*Cartulaire des hospitaliers du Velay* (Le Puy, 1888).—*Cartulaire des Templiers du Velay* (*id.*, 1882).—Répertoire général des hommages de l'évêché du Puy (1887).—*Recueil des chroniqueurs du Puy* (éd. Chassaing, 3 vol. 1869-75).—*Notes sur le monastère de Montfaucon*, par l'abbé Theillère (1876).—*Nobiliaire d'Auvergne*, par Bouillet (7 vol., 1846-53).—*Le Livre d'or du Lyonnais* (Lyon, 1866).—*Jean-Louis Des Roys*, par Al. Carra de Vaux (*l'Investigateur*, revue de l'institut historique, année 1850).—*Mémoires inédits* de Me de Genlis (10 vol., 1825-27).—*L'Assemblée de la noblesse de la sénéchaussée de Lyon en 1789*, par H. de Jouvencel (Lyon, 1907).—*Grimod de la Reynière et son groupe*, par Desnoiresterres (1875).—*Lucien Bonaparte*, par Ch. Iung (t. II, 1882).—*Lucien Bonaparte et sa famille* (Paris, 1889).—*The marriages of the Bonapartes*, par Bingham (Londres, 1881).—*Armorial du premier Empire*, par A. Révérend (Paris, 1894, 4 vol.).—*Titres et anoblissements de la Restauration* (Paris, 1901, 6 vol.).

[35] Aucun Des Roys ne figure à l'*Armorial général du Cabinet des titres.*

[36] *Bonardus Rex*, acte de 1147 (*Obit. S.-P. Lugd.*, p. 59), c'est la plus ancienne mention. *Guigo Regis* (1239), domicilié à Saint-Laurent de Lyon, etc. On rencontre environ une vingtaine de personnages de ce nom auxquels on doit rattacher les Des Roys; en effet dans les papiers de la famille on trouve mention au XVIe siècle d'une prébende fondée en l'église Saint-André de Montbrison, en 1361, par maître Jean Regis, licenciée en droit.

[37] Charte du 10 janvier 1279 où *Petrus Regis* est cité comme clerc (*Cart. des Templiers*, p. 385). Échange entre Pons de Brion et Raymond du Pont, daté du 1er mai 1324, d'une rente sur des fonds contigus au couvent des Carmes contre une rente sur un champ situé aux Combes, près d'Espaly, «juxta campum *Johannis Regis* civis anisiensis» (citoyen du Puy) (*Cart. des hospitaliers du Velay*, p. 188). Sentence de l'official du Puy, condamnant Jean Regis,

damoizeau, père de Paulette, femme de noble Hugues de Chandorasse, à payer à Dalmas, prieur de Saint-Martin de Polignac, les arrérages de biens sis à Soleihac, 13 mars 1382 (Arch. dép. Haute-Loire, G. 651).

[38] Raucoules. Il existe trois villages de ce nom dans la Haute-Loire; celui des Des Roys est situé dans le canton de Montfaucon.

[39] Nom disparu; aujourd'hui Montregard.

[40] D'après la *Bibliographie de la Haute-Loire*, par Sauzet, un Mathurin Des Roys, prieur de Saint-Didier, aurait composé une histoire du Puy, en vers et en prose, et dédiée à Amédée de Saluce, doyen de la cathédrale; l'ouvrage aurait été imprimé en 1519 chez Claude le Noury. Ce volume ne figure à notre connaissance dans aucune autre bibliographie; il nous a été impossible de l'identifier.

[41] Contrat passé à Baulmes (paroisse de Saint-André et diocèse de Valence); témoins: Arnaud de la Rochaing, écuyer; Guillaume de Montagnet, seigneur de Montguérin; Jehan des Champs (de Campis), lieutenant de Mautfaucon; Jehan des Roys (de Regibus); noble Antoine de Bronac. La présence de ce dernier parmi les témoins prouve que les Des Roys devaient tenir un certain rang dans la ville, car les Bronac, coseigneurs de Mautfaucon et de Vazeilles, étaient considérés alors comme de hauts personnages.

Charles de Jussac, écuyer, seigneur de Baulmes et de Jussac (canton de Retornac). De son mariage avec Anne de Meyre il eut deux filles religieuses: Anne et Alice; un fils, Gaspard, mort sans postérité; deux fils: Bernard et Jean, prêtres; une fille Isabeau, mariée à Arnaud de la Rochaing; une autre enfin, devint la femme d'Antoine Des Roys. À la mort de Charles de Baulmes, tous ses biens revinrent à sa fille Marguerite, dont Antoine hérita.

[42] Cf. *Répertoire des hommages de l'évêché du Puy* (p. 385).

[43] Veuve en premières noces de Denis de Cohacy, procureur royal; les Guilhon étaient alliés à la famille de Gerlande.

[44] Il est l'auteur de: 1° *Livret contenant les principales questions et décisions qu'on peut rechercher en matière de légitime* (Lyon, 1644); 2° *Traicté des substitutions* (Lyon, 1644).

[45] Des Olmes, aujourd'hui famille de Veyrac. En 1588, Denis des Olmes épousa Catherine Dufours, dont Antoine, marié en 1587 avec Marguerite de la Franchère. Leur fils Louis, marié en 1622 à Florie de Lagrevol, était le père de Catherine des Olmes.

[46] Marie, femme de Jacques Hochet; Philiberte, femme de Louis de Romezin, d'où une fille, qui épouse Claude Ferrapie, d'une ancienne famille

de Mautfaucon; Jeanne, mariée à Antoine Varilhon; Claude et Marguerite, mortes filles.

[47] Ces alliances, que Lamartine n'ignorait pas (cf. *Souvenirs et Portraits*, t. II, *les Bonaparte*), ont été constamment négligées par les généalogistes de la famille Grimod; l'omission doit provenir de ce que les notes de d'Hozier (Cabinet des titres, pièces originales, vol. 141; Dossiers bleus, vol. 333; Nouveau d'Hozier, vol. 165) ont été établies sur une collection de *factums* de 1754, rédigés pour Marguerite le Juge et qui ne l'ont mention, ni de la branche Bonaparte, ni de la branche de Vaux-Lamartine.

Pourtant, l'acte de baptême d'Alexandrine de Bleschamp, princesse de Canino, dissipe toute équivoque, ainsi que le testament d'Antoine Grimod enregistré à Paris le 7 avril 1718, et où il est fait également mention de deux autres filles: Benoîte et Philiberte, mariée l'une à J.-B. Dumas de Corbeville, l'autre au marquis de Pranse.

Voici enfin un fragment du *Journal intime*, qui, malgré quelques erreurs, confirme la parenté des Des Roys avec les divers personnages que nous avons cités.

«*23 janvier 1803* {de Rieux}. Je voudrais pouvoir écrire tout ce que ma mère me conte de ses voyages, ce serait bien intéressant, et mille anecdotes curieuses de gens marquants. Malheureusement, ce serait trop long. Ma mère conte à merveille, elle a infiniment d'esprit et de mérite. Elle m'a rapporté beaucoup de choses de M. de la Reynière, le fermier de Lyon, etc., à qui nous étions parents par ma grand'mère; Mme de la Ferrière avait épousé en premières noces M. Grimod de la Reynière, dont elle a eu M. de la Reynière, fermier général, qui avait épousé Mlle de Jarente, qui vit encore et qui est très liée avec ma mère. M. de la Ferrière a eu aussi deux filles: l'aînée était Mme de Malesherbes, qui est morte très malheureusement fort jeune, laissant deux filles: Mme de Rosanbo qui a été guillotinée, et Mme de Montboissier; la seconde était Mme de Lévis, amie intime de ma mère qui est morte assez jeune. M. de la Reynière le père avait eu d'un premier mariage Mme de Beaumont, c'est par là que nous lui sommes parents [*à Mme de Beaumont*]. Nous l'étions aussi par les Grimod à la femme du baron de Breteuil et aux Cipierre; la fille du baron de Breteuil a épousé M. de Matignon, dont la fille a épousé un Montmorency.

«M. d'Orsay s'appelle aussi Grimod, toujours de la même famille; il a épousé, en secondes noces, une princesse d'Allemagne assez proche parente du roi de Prusse, et le fils de M. d'Orsay a épouse une princesse d'Italie assez peu considérable.»

Cette Mme de la Ferrière, dont il est ici question était Marie Mazade, seconde femme de Gaspard Grimod de la Reynière; devenue veuve, elle épousa Honoré de la Ferrière.

[48] François Mauverney, receveur du grenier au sel de Saint-Symphorien-le-Château, puis lieutenant criminel et civil de l'élection de Lyon, était fils de Pierre Mauverney, conseiller du Roi, élu en l'élection de Saint-Étienne, et de Jaqueline Dilbert. Pierre Mauverney était lui-même fils de Jean-Baptiste et de Jeanne Coignet. (Cf. Cab. des titres: pièces originales, vol. 1902.)

[49] Cf., sur les suites de cette brouille entre Grimod de la Reynière et sa cousine, «*copie d'une lettre de M. Grimod de la Reynière, négociant à Lyon, etc., à Mme Des Roys, ancienne sous-gouvernante des ci-devant princes d'Orléans. Lyon, 7 déc. 1791* (s. l. n. d., mais Lyon, 1791).

Dans cette brochure extrêmement rare, Laurent s'efforçait d'abord d'attirer à sa cousine des ennuis que son ancienne situation pouvait rendre graves, mais il l'accusait surtout d'avoir capté l'héritage de sa grand'mère, morte en 1773, et d'avoir pris un grand empire sur son père. Il terminait ainsi: «Maintenant, permettez-moi de vous offrir la paix ou la guerre, mais surtout point de neutralité, point de tergiversation. Une réponse claire et nette, s'il vous plaît. Si c'est la guerre, je la ferai courageusement et de mon mieux; si vous préférez la paix, sacrifiez-moi mes ennemis, agissons de concert, et nous nous en trouverons bien l'un et l'autre. Vous avez su prendre un grand crédit sur l'esprit de mes parents: j'ai dans mes mains de quoi vous démasquer à leurs yeux; je ne le ferai pas si vous voulez employer ce crédit à me servir.»

Cette publique tentative d'intimidation se perdit dans la tourmente de 1792 qui engloutit la fortune colossale des Grimod. Mais les Des Roys aussi bien que les Lamartine cessèrent dès lors et pour jamais toute relation avec leur cousin, qui n'est pas nommé une fois dans le *Journal intime*; on sait que depuis 1780 ses excentricités et son mauvais renom l'avaient rendu intolérable à tous ses parents, et que seul il était responsable d'un état de choses où Mme Des Roys n'était pour rien (cf. *Desnoiresterres*).

[50] Cf. *Mémoires inédits de Mme la comtesse de Genlis* (Paris 10 vol., 1825-26), vol. III, p. 483-85, et IV, p. 29.

[51] *L'Intrépide*, revue par Mme de Genlis (Paris, 2 vol., 1820), I, pp. 81-110.

[52] Cf. *Lettres à Lamartine*, p. 19 (lettre de la duchesse de Broglie).

[53] Dans la Marne, à quelques kilomètres de Montmirail. Jean-Louis l'avait acquise du chevalier de Belle-Joyeuse. C'était alors un bâtiment très simple, ayant successivement appartenu aux familles de Pastoret, de Disques et de Boubers, et qu'il fit démolir pour le remplacer par un château plus vaste. (Cf. *Alexandre Carra de Vaux*, op. cit.)

[54] Les lettres qui suivent sont citées d'après *l'Investigateur*, où elles ont paru pour la première fois.

[55] Voir, à l'Appendice, le tableau de la descendance Grimod.

[56] Dans les papiers de la famille Des Roys, on trouve une petite note de la main de Jean-Louis qui rapporte les détails de la cérémonie:

«Le 26 juillet 1768, procuration de Mme de Beaumont marraine de l'enfant dont Mme Des Roys était grosse, et dont la ville de Lyon devait être le parrain.

«L'enfant est né le samedi 5 novembre: ç'a été un fils, qui a été baptisé le dimanche 6 dudit à Saint-Paul par M. Crupisson, sacristain-curé. Il a été nommé Lyon-François, et tenu par M. de la Verpillière, Prevost des marchands, accompagné du Consulat, pour la ville, et par Mme de la Verpillière pour Mme de Beaumont Des Roys.»

[57] Cf. *l'Observateur des spectacles* des 28 germinal, 2, 21, 23 et 29 floréal an X. Jacques-Barthélémy Salgues (1760-1830), un des bons journalistes de l'Empire et de la Restauration. Prêtre d'abord, il fut choisi en 1789 pour la rédaction du cahier des doléances de la ville de Sens où il était né; peu à peu, il finit par organiser la contre-Révolution dans son département. Poursuivi, il ne réapparut à Paris qu'en 1794, fut traduit alors en justice après le 18 fructidor, mais acquitté par le tribunal d'Auxerre. À partir de 1798, il se consacra exclusivement aux lettres, et fonda deux journaux théâtraux.

[58] Sa tragédie et sa comédie.

[59] Nom que portait alors l'ancien Théâtre-Français.

[60] Un des semainiers du Théâtre-Français.

[61] *Moniteur* du 4 avril 1804.

[62] Il est curieux de constater que le sujet de Caton, emprunté à *la Mort de Caton*, d'Addison, tenta également Lamartine à vingt ans: il écrivait en effet le 30 septembre 1810 à Virieu: «Je traduis de l'anglais quelques Nuits d'Young et la superbe tragédie d'Addison *the Death of Cato*, le tout en vile prose, excepté quelques morceaux qui me séduisent et que je versifie.» (*Corresp.*, I, p. 272.)

[63] Voir, à l'Appendice, la bibliographie des œuvres de Lyon Des Roys.

[64]

L'âme est inaccessible et rien n'agit sur elle;
Que la mort au méchant soit un objet d'horreur,
L'homme de bien y voit l'aurore du bonheur.
. . . .

Mais je ne sais, mes yeux paraissent s'obscurcir,
Mes membres fatigués semblent s'appesantir,
Je ne puis surmonter la langueur où je tombe...

. . . .

Mes enfants, mes amis, approchez, je vous prie.
Quoi? d'où viennent ces cris? qu'avez-vous à frémir?
Qu'est-ce donc, mes amis, ai-je tort de mourir?
Voulez-vous que j'attende à sortir de la vie
Que je me sois couvert de quelqu'ignominie,
Que j'aie abandonné le chemin de l'honneur?
La mort n'a rien d'affreux, n'en ayez point d'horreur.
Elle vient,... je la vois, je la sens,... je la touche...
Elle obscurcit mes yeux,... elle glace ma bouche...
Je finis,... je m'éteins... sans douleurs, sans effort...
L'âme pleine d'espoir se dégage du corps.

(*Le Dernier des Romains*, acte V, sc. I et IX.)

[65] Sources et bibliographie de la II° partie: *Journal intime* (passim).-;-*Archives départementales de Saône-et-Loire*, très riches en documents sur les Lamartine pendant la Terreur.—*Césarine et Alix, un épisode de la jeunesse de Mme de Lamartine la mère*, par le baron Alexandre Carra de Vaux (publié dans *l'Investigateur*, journal de l'institut historique, 1853).—*Histoire de Saint-Point*, par L. Lex (Mâcon, 1898, in-8).—*La Jeunesse de Lamartine*, par F. Reyssié (Paris, 1892, in-16).—*La Persécution religieuse en Saône-et-Loire* (t. IV, arrondissement de Mâcon), par l'abbé Louis S.-M. Chaumont (Chalon-sur-Saône, 1903, in-8).—*La Révolution dans l'ancien diocèse de Mâcon*, par Mgr B. Rameau (Mâcon, 1900, in-8).—*Souvenirs de Mme Delahante* (Évreux, 1906, 2 vol. hors commerce). Les souvenirs de Mme Delahante, qui dans sa jeunesse habita longtemps Mâcon et fut très liée avec les Lamartine, ont été publiés par sa petite-fille Mme de Blic. Ils contiennent de nombreux et curieux détails nouveaux sur la vie familiale du poète, ainsi qu'une trentaine de lettres inédites de divers membres de sa famille.

Toutes les références aux œuvres de Lamartine sont faites d'après l'édition de l'auteur; c'est la dernière parue de son vivant et la plus complète (Paris, 1860-66, 41 vol. gr. in-8).--;Pour les publications posthumes, d'après les éditions originales: *Mémoires inédits* (Paris, 1870, in-8); *Manuscrits de ma mère* (*id.*, 1871, in-8); *Souvenirs et Portraits* (*id.*, 1871-72, 3 vol. in-18): *Correspondance* (*id.*, 1873-75, 6 vol. in-8).

[66] Journal de Saône-et-Loire du 4 mai 1827. Cet article, rédigé par Alexis Mottin, secrétaire perpétuel de l'Académie de Mâcon, ne satisfit qu'à moitié

Pierre de Lamartine qui y répondit par la lettre suivante, insérée dans le numéro du 7 mai:

«Monsieur, je commence par rendre grâce à l'estimable auteur de l'article nécrologique inséré dans votre précédent numéro. Je serai désespéré que ma juste réclamation put l'affliger, mais je crois le devoir à la mémoire de mon frère. Sans doute, si votre journal n'était lu qu'à Mâcon, où M. de Lamartine était si parfaitement connu, il eût été peut-être superflu de dire un mot sur ses sentiments religieux: nul ne peut les y mettre en doute. Mais comme la sphère de votre estimable journal ne se borne pas à cette ville, je désire que partout où elle s'étend on sache que mon frère mettait fort au-dessus de toutes les connaissances humaines celle de la religion, et que, jusqu'au dernier instant de sa vie, il en a constamment rempli les devoirs avec zèle et la plus sincère conviction.—LAMARTINE.»

[67] Pierre Sigorgne (1719-1809), vicaire général de Mâcon, puis archidiacre et doyen du chapitre de Saint-Vincent, auteur de plusieurs volumes de philosophie. On a de lui: *Institutions newtonniennes* (1747); *Lettres écrites de la plaine* (1765), où il réfute les *Lettres de la montagne* de Rousseau; *Institutions leibnitziennes* (1768); *le Philosophe chrétien* (1776), etc.

Cf. Abbé Rameau, *Notice sur l'abbé Sigorgne* (Mâcon, 1895, in-8).

[68] *Nouv. Confidences*, p. 455. Le portrait de l'oncle terrible occupe les pages 447-457 (T. 29).

[69] Bien qu'inexactes, les idées politiques que Lamartine a prêtées à son oncle sont curieuses, parce qu'elles correspondent très exactement à son propre programme sous les dernières années de la monarchie de Juillet.

[70] Cf. Demaizières, Un incident populaire à Mâcon en 1789 (*Ann. de l'Académie de Mâcon*, IIe siècle série, t. XI).

[71] Cf. *Corresp.*, III, p. 41. Voici d'autre part une lettre de Pierre de Lamartine à son fils où nous trouvons quelques détails sur cette succession:

«Maçon, le 1er mai 1827.

«Voilà, mon cher ami, une malheureuse circonstance qui me fait encore plus regretter que tu ne sois pas ici où ta présence serait d'une grande utilité. Mon pauvre frère n'est plus; il a succombé, dimanche à onze heures du matin, à cette maudite fièvre catharale. Tu sens tout ce que nous avons eu tous à souffrir dans ce malheur. Mlle de Lamartine l'a pourtant supporté avec tout le calme de sa grande piété.

«Voici les principales dispositions de son testament par lequel il a fait cesser l'indivision qui était dans leur bien. Mlle de Lamartine garde Montceau et les Mélards, elle a tout le mobilier quelconque, argent, denrées, sans aucun frais de sa part, pas même ceux du fisc dont ses héritiers sont chargés. C'est Cécile et toi qui l'êtes, pour égale part et portion, de Champagne, Saint-Pierre et Saint-Oyen en rapportant ce que vous avez eu par contrat de mariage. La bibliothèque est à toi par principal et voici en quoi consistera l'actif de la succession:

<table>
<tr><td colspan="4">À présent Champagne estimé à peu près</td><td>160000</td><td>francs.</td></tr>
<tr><td></td><td>Saint-Oyen</td><td>—</td><td>environ</td><td>80000</td><td>——</td></tr>
<tr><td colspan="4">Après la mort de ma sœur, trois inscriptions de mille francs chacune, valant</td><td>60000</td><td>——</td></tr>
<tr><td colspan="4"></td><td>——
—</td><td></td></tr>
<tr><td colspan="4"></td><td>300000</td><td>francs.</td></tr>
</table>

«Mon frère a fait bon marché à Mlle de Lamartine, en faisant son partage, mais il y assujétit ses héritiers par son testament. L'argent, les vins, le mobilier sont très considérables; je pense que ma sœur aura dix-sept ou dix-huit mille livres de rente.» (*Lettre inédite* provenant des archives de Saint-Point.)

Comme on peut s'en rendre compte, Pierre de Lamartine était donc du même avis que son fils touchant le testament de François-Louis.

Une lettre du 5 juillet, toujours du chevalier au poète, nous apprend que, sur la tombe de François-Louis de Lamartine, on fit graver un vers de son neveu choisi par Mme de Lamartine:

«La mort m'a tout ravi, la mort doit tout me rendre», extrait de la *Méditation*: la Semaine sainte à la Roche-Guyon.

[72] Mme Delahante.

[73] Ce portrait, que M. Reyssié a cru perdu, appartient aujourd'hui à Mme Frédéric de Parseval, arrière-petite-fille de Mme de Lamartine. Le poète, qui en a fait une description assez fidèle dans les *Confidences*, l'avait fait mouler en couvercle sur une petite boîte d'argent.

[74] Ces vers du chevalier de Bonnard ne figurent dans aucune édition de ses œuvres. Ils sont cités d'après *l'Investigateur* de 1853, où la pièce a paru en entier.

[75] Le 23 février 1823, Mme de Lamartine note dans son journal: «Alphonse travaille à son nouveau volume de Méditations; j'ai toujours peur qu'il ne

profane son talent en parlant le langage des passions. Je lui ai écrit justement là-dessus.»

Mme de Lamartine venait en effet de lire dans la 9e édition des *Méditations*, parue un mois auparavant, une pièce nouvelle intitulée *Philosophie*, et dédiée au marquis de la Maisonfort. Aussitôt, elle écrivit à son fils la lettre suivante:

Ton père, mon cher Alphonse, me lit sa lettre. J'y vois avec plaisir qu'il te dit aussi mon opinion. Oui, cette pièce à M. de Maisonfort m'a beaucoup tourmentée. J'ai une si grande horreur de cette abominable philosophie que je frémis de tout ce qui en a l'apparence, venant de toi surtout. Tu es né pour être religieux, essentiellement religieux, ton talent n'est beau que parce qu'il vient de là. Ne le profane point, mon enfant; que ta reconnaissance pour les grâces dont Dieu te comble rappelle toujours toutes tes pensées à lui, ne travaille que pour sa gloire, ne transige point avec l'esprit et les passions du monde, dédaigne ce moyen de succès, comme tu le fais sûrement dans ton âme.

Ô mon enfant, tu éteindrais dans la *boue* le brillant flambeau que le ciel t'a donné pour répandre la vraie lumière; n'écris rien de ce que tu jugeras bien sévèrement un jour, et que tu voudras peut-être effacer au prix de tout ton sang, quand il ne sera plus temps.

Adieu, j'en ai assez dit.

[*Lettre inédite.*]

[76] Les deux vers incriminés visaient le duc d'Orléans à qui, au sacre de Reims, Lamartine faisait dire par Charles X:

Ce grand nom est couvert du pardon de mon frère.
Le fils a racheté les fautes de son père.

Mme de Lamartine a consacré à cet incident deux pages de son journal, ce qui prouve à quel point elle l'eut à cœur. Malheureusement, Lamartine a déchiré et noirci le feuillet, dont quelques fragments seulement sont encore lisibles. On y voit que le poète donna pour excuse à sa mère, une «inadvertance», une «négligence poétique», explication qui satisfit peut-être Mme de Lamartine, mais parut insuffisante au duc d'Orléans, car sur sa demande les exemplaires du *Chant du Sacre* furent retirés du commerce, et il fallut procéder à un second tirage où les vers étaient corrigés et adoucis.

[77] Cf. *Souv. de Mme Delahante*, I, p. 106.

[78] Cf. *Harmonies*: Milly ou la TERRE NATALE. *Confidences* (p. 65): LE VILLAGE OBSCUR OU LE CIEL M'A FAIT NAITRE. Dans *Souvenirs et Portraits* (Comment on devient poète), il termine également une description de Milly

par ces mots: «C'EST LA QUE JE SUIS NE, et que je grandissais». Voilà pour Milly. Dans les *Recueillements* (vers écrits à l'Ermitage), on lit:

Ô vallons de Saint-Point, ô cachez mieux ma cendre
Sous le chêne NATAL de mon obscur vallon.

Enfin, dans les *Confidences* (p. 24), Lamartine déclare qu'il est né à Mâcon, dans l'hôtel Lamartine, par conséquent rue Bauderon-de-Senecé.

[79] On trouvera le détail de la question dans une étude de M. Paul Maritain, la Maison natale de Lamartine (*Annales de l'Académie de Mâcon*, IIIe série, t. VI). M. Maritain, qui ignorait l'existence des documents que nous citons plus loin, a conclu que la maison natale du poète était l'hôtel de la rue Bauderon-de-Senecé.

[80] Nous donnons ici le texte complet de cette pièce, copié sur le brouillon de Louis-François de Lamartine, et qui donne quelques détails curieux sur son train de maison au début de la Révolution.

Déclaration de maison, etc., faite en 1790. Décembre.
Maison rue des Ursulines, *occupée par M. de Pra.*
32 pieds de face sur ladite rue.
80 pieds en petite cour.
En partie un seul étage, partie deux étages. Sans locataires, ni magasins, etc.
Contenance totale: une coupée et demie ou trois toises.
Propriétaire M. L.-Fr. de La Martine, marié, ayant six enfants dont cinq à sa charge.
Domestiques mâles, 4.
Domestiques femelles, 3.
Chevaux de carosse, 2.
Maison par luy occupée sur les remparts [*hôtel de la rue de Senécé*], façade 60 pieds.
3 980 pieds superficiels pour la maison.
1 020 pieds pour les écuries qui ont 30 pieds de face environ.
1 230 pieds en cour.

Les deux tiers à deux étages, l'autre tiers à un étage. Sans aucun locataire, boutique ni magasin.

[81] M. H. Remsen Whitehouse, un érudit américain à qui rien de ce qui touche Lamartine n'est étranger, a bien voulu se charger pour nous d'obligeantes recherches à Lausanne, mais qui sont restées vaines. On en trouvera le détail sous sa signature dans la revue *l'Écho des Alpes* de septembre 1908.

[82] Le petit Félix fut le second des enfants de Pierre de Lamartine. Il mourut à Mâcon à l'âge de deux ans et demi. Le *Journal intime* ne fait jamais mention de ce fils, dont Lamartine n'ignorait pas l'existence; en effet, alors que dans le *Journal intime* on lit, à la date du 11 juin 1801: «J'en ai déjà cinq actuellement [enfants], quatre filles et un fils», il ajouta dans sa version du *Manuscrit de ma mère*: «après en avoir perdu un».

En réalité, Mme de Lamartine eut neuf enfants: deux fils, Alphonse et Félix, et six filles, Mélanie, Célenie (mortes toutes deux à quelques mois), Cécile, Césarine, Eugénie, Sophie et Suzanne.

[83] *Arch. de la guerre* (section administrative), dossier Pierre de Lamartine. Pierre-Paul Henrion de Pensey, premier président de la Cour de cassation (1742-1829), était le frère d'Henrion de Saint-Amand, beau-frère de Mme de Lamartine.

[84] Paris, Imprimerie nationale, an II.

[85] Ces deux arrêtés ont été publiés par M. Reyssié (*la Jeunesse de Lamartine*, 24-25).

[86] Cf. Arch. dép. de Saône-et-Loire: «Liste d'hommes et de femmes détenus à Mâcon, Autun, etc.». Ce document, retrouvé et acquis récemment par M. Lex, confirme une fois de plus l'exactitude de certains petits détails des *Confidences*, puisqu'on y lit que la famille de Lamartine fut emprisonnée à Autun. M. Reyssié avait mis en doute cette assertion. Sur cette liste, figurent les noms de Pierre, François-Louis, l'abbé, Suzanne et Charlotte. Mlle de Montceau, qui était faible d'esprit, évita ainsi les poursuites, et fut détenue à Pérone avec son père et sa mère.

[87] Arch. Nat., A. F. II, 259.

[88] Ces souvenirs sont rapportés par Mme de Lamartine, en mai 1803, époque où elle passa trois mois à Rieux, chez sa mère.

[89] *Cours familier de littérature*, entretien 101, p. 320.

[90] *Guillaume de Saint-Point*, par J.-M. Grosset (3 vol. in-8).

[91] Cf., sur la famille Bruys, *Ann. de l'Académie de Mâcon*, 3e série, vol. IX: la Famille Bruys, par Paul Maritain.

[92] Jean-Baptiste Michon de Pierreclau, baron de Cenves, comte de Bertzé, seigneur de Pierreclos, né le 20 septembre 1737, marié à Saint-Étienne en Forez, le 27 avril 1767, à Marguerite Bernon de Rochetaillée; il eut pour enfants: 1° Jean-Gabriel, marié à Jeanne-Théodore Laborier; 2° Guillaume, marié à Nina Dézoteux; 3° Marguerite, mariée à M. Mongeis; 4° Jeanne, mariée au comte de Champmartin; 5° Antoinette, mariée au comte de Regnold de Sérezin; 6° Catherine, morte fille.

Une fille de Jean-Gabriel et de Jeanne-Théodore Laborier fut la baronne de Montailleur-Ruffo, amie de Chateaubriand, et la fille unique de M. de Champmartin épousa Niepce, l'un des inventeurs de la daguerréotypie.

[93] Sources et bibliographie de la troisième partie: *Journal intime* (passim), *Archives de Saint-Point*.—Pour l'abbé Dumont: *Archives municipales de Bussières et de Pierreclos*, *Archives départementales de Saône-et-Loire*, et les notes inédites de M. Paul Maritain conservées aujourd'hui à l'Académie de Mâcon: nous en devons la communication à M. A. Duréault, secrétaire perpétuel de cette société, que nous remercions ici de son obligeance.

Pour le collège de Belley: *le Séjour de Lamartine à Belley*, par M. Dejey (3e éd., complétée, 1901). *Histoire du collège-séminaire de Belley*, par l'abbé Rochet (Lyon, 1898, in-8).—Les Vies des Pères Varin, Debrosses et Jenesseaux, par le père Guidée (Paris, 1859-60).

[94] Abbé Chaumont, *op. cit.*

[95] Mgr Rameau, *op. cit.*

[96] On a vu que l'église avait été fermée en 1798, et que l'abbé Dumont reçut, lorsqu'elle rouvrit, l'interdiction d'y dire la messe régulièrement, comme il en avait pris l'habitude.

[97] Ces deux lettres, qui sont conservées aux archives épiscopales d'Autun, ont été communiquées à l'Académie de Mâcon par M. le chanoine Muguet, curé de Sully. (Cf. procès-verbal de la séance du 10 janvier 1907.)

[98] Les procès-verbaux des deux séances ont été copiés par M. Maritain et figurent dans le dossier qu'il avait réuni sur Dumont.

[99] Cf. *Correspondance*, t. IV, p. 41, 69, 84, 134, 203, 271.

[100] *Archives de Saint-Point*. La lettre est datée du 25 mars 1828. *Suscription:* «À monsieur de Lamartine, chargé des affaires de France, Florence, Toscane».

[101] Appartient à Mme Fournier, née de Belleroche, petite-nièce de Lamartine. Il a été reproduit par M. Lex dans son album *Lamartine, souvenirs et documents* (Mâcon, 1890).

[102] *Mémoires inédits* (p. 58-76).

[103] *Archives de Saint-Point*. Suscription: «À madame Depra de Lamartine à Mâcon, Saône-et-Loire». (*Lettre inédite.*)

[104] Dejey, *op. cit.*

[105] Robert Debrosses, né à Chatel (Ardennes) le 26 mars 1765, prêtre en 1798, mort à Laval en 1848.

[106] Nicolas Jenesseaux (et non Génisseaux, comme l'a écrit Lamartine), né à Reims le 9 avril 1769, prêtre en 1795, mort à Paris en 1842.

[107] Jean-Pierre Varlet, né à Reims le 11 mars 1771, prêtre en 1796, mort à Poitiers en 1854.

[108] Étienne Demouchel, né à Montfort-l'Amaury le 10 juillet 1772, prêtre en 1802, mort à Rome en 1840.

[109] Jean-Pierre Wrindts, né à Anvers le 6 février 1781, prêtre en 1801, mort à Poitiers en 1852.

[110] Pierre Béquet, né à Paris le 9 janvier 1771, prêtre en 1799, mort à Toulouse en 1849.

[111] Aymon de Virieu, Prosper Guichard de Bienassis et Louis de Vignet seront l'objet d'un chapitre spécial dans notre second volume sur la jeunesse de Lamartine qui comprendra les années 1813-1820.

[112] Cf. également abbé Rochet (*op. cit.*, p. 208-209), où l'on trouve le détail du palmarès.

[113] C'est au cours du mois d'octobre 1806 qu'il faut placer l'épisode de Lucy L. sur lequel Lamartine s'est longuement étendu dans les *Confidences.* La vérité semble extrêmement plus simple que son romanesque récit; elle a été très heureusement rétablie par M. De Riaz, membre de l'Académie de Mâcon, dont le travail vient d'être publié dans le dernier volume des Annales de cette société. M. De Riaz, au prix d'une incroyable patience et de minutieuses investigations, est parvenu, en s'aidant des rares précisions du texte de Lamartine, à établir que le manoir décrit par le poète n'était autre que le château de Byonne, situé à deux kilomètres de Milly. Or, de 1800 à 1820, une seule jeune fille y habita, dont ni le prénom ni le nom ne se rapprochent de ceux donnés par Lamartine, puisqu'elle s'appelait Élisa de Villeneuve d'Ansouis; bien mieux, c'était une enfant qui mourut en 1807 à l'âge de treize ans; comme l'unique séjour qu'elle fit à Byonne se place pendant l'automne de 1806, M. de Riaz en a conclu avec vraisemblance qu'elle fut la première héroïne de Lamartine.

On voit par là avec quelle précaution il faut utiliser les souvenirs de Lamartine, et ce qu'il faut penser en particulier des trente pages qu'il a consacrées à la pseudo-Lucy L. et à leurs conversations littéraires dont Ossian, paraît-il, faisait le fonds. Quant aux vers *ossianesques* qu'il lui adressa et qu'il a datés, dans les *Confidences* de Milly: «16 décembre 1805», il est impossible d'admettre qu'ils aient été composés en l'honneur de la petite fille. Il est d'abord évident qu'ils sont post-datés, puisqu'en décembre 1805 Lamartine était à Belley et non à Milly. De plus, il ressort d'une lettre de la *Correspondance*—lettre douteuse, il est vrai, puisqu'elle ne porte point de date bien qu'elle figure à la fin de l'année 1808—que Lamartine connut Ossian beaucoup plus tard. Enfin, ils sont d'une facture qui permet à notre avis de fixer leur composition à 1810-1811. Il nous paraît probable qu'au moment où Lamartine écrivit les *Confidences* il retrouva cette pièce parmi ses papiers et, soit défaut de mémoire, soit désir de grossir l'épisode assez mince de Lucy L., il l'intercala dans son récit, en assignant à ces vers une date qui correspondait approximativement avec le fonds de l'anecdote; puis, pour mettre le tout en valeur, il laissa rêver sa délicieuse imagination et broda autour de Lucy L. un commentaire *ossianesque* où l'on voit cette enfant de douze ans agitant le soir une écharpe de soie blanche à la fenêtre de sa tour, et sachant «par cœur» tous les poètes.

[114] *C.*, I, p. 4, du 27 sept. 1807.

[115] *C.*, I, p. 8, du 3 oct. 1807.

[116] Nous donnons cette date d'après le *Journal intime*, bien qu'on trouve dans la *Correspondance* trois lettres, datées de Mâcon 4 et 10 janvier, et de Lyon 30 janvier; elles furent réellement écrites à ces dates, mais en 1809. En effet, Lamartine parle dans l'une d'elles de la conscription qui retarde son voyage à Lyon; or, nous savons, toujours par le *Journal intime*, qu'il tira au sort le 23 janvier 1809. De plus on rencontre dans la lettre du 10 janvier un fragment poétique qui fut adressé à Virieu et n'est ici que recopié pour Guichard; comme ce morceau fut composé à la fin de 1808, ainsi que nous l'apprend une lettre de décembre de la même année à Virieu, il devient évident que la copie en fut faite en janvier 1809 et non 1808.

[117] *Souvenirs et Portraits*, 1, p. 69-72.

[118] *C.*, I, p. 63, du 12 nov. 1808.

[119] Les *Adieux au collège de Belley* ont paru pour la première fois dans l'*Almanach des Muses* de 1821; les deux autres pièces ont été recueillies par lui dans ses Œuvres (édition de l'auteur), après avoir été publiées dans le Cours de littérature; les *Adieux* figurent aujourd'hui à la suite des *Méditations*, mais on ne trouve le *Rossignol* et le *Cantique* que dans les *Souvenirs et Portraits*, t. I, chap. III: «Comment je suis devenu poète».

[120] Cf. *Souvenirs et Portraits*, I: «Comment je suis devenu poète», et II: «Chateaubriand».

[121] Cf. *Souvenirs et Portraits*, t. I: «Comment Je suis devenu poète»; t. II: «Chateaubriand».

[122] Cf. *Chateaubriand, Œuvres*, t. II (éd. Garnier, Paris, 1859), p. 82.

[123] *Id., ibid.*, t. I, p. 218.

[124] La plupart ont été déjà signalées par M. Zyromski dans sa thèse sur *Lamartine poète lyrique* (1897).

[125] *C.*, I, p. 111, du 12 mars 1809.

[126] Sources et bibliographie de la quatrième partie: *Journal intime* (passim).—*Correspondance* (t. I).—*«Carnet de voyage de Lamartine»* (publié par M. R. Doumie), *Correspondant* du 25 juillet 1008.—Nous devons à l'obligeance de M. Duréault d'avoir pris connaissance de l'important dossier qu'il a réuni sur Henriette Pommier, et d'une curieuse étude, lue par lui en séance publique à l'Académie de Mâcon et qui doit être publiée prochainement. Nous lui avons emprunté toute la documentation du chapitre III.

Une fois de plus, nous avons à déplorer le classement défectueux de la *Correspondance* et il serait à souhaiter qu'une main autorisée donnât promptement une édition complète et vérifiée de cet inestimable document; grâce au *Journal intime*, pourtant, nous avons pu rétablir à leur véritable date des lettres arbitrairement ou mal datées par l'éditeur, une dizaine environ, pour les années 1807-1813.

[127] *C.*, I, p. 23, du 22 février 1808.

[128] *J. I.*, 25 sept. 1806.

[129] *C.*, I, p. 23, du 22 février; p. 26, du 13 mars 1808.

[130] *Id.*, p. 93, du 14 déc. 1808.

[131] *Id.*, p. 41, du 10 sept.; p. 95, du 14 déc. 1808.

[132] *Id.*, p. 95, du 14 déc. 1808.

[133] *Id.*, p. 95, du 14 déc. 1808.

[134] *C.*, I, p. 53, du 29 oct. 1808; p. 139, du 4 août 1809.

[135] *Id.*, p. 139, du 4 août 1809.

[136] *Id.*, p. 25-27, du 13 mars 1808.

[137] *J. I.*, 26 mai 1808. Elle écrivait de Mâcon le 24 février: «La santé d'Alphonse n'est pas mauvaise; il s'occupe beaucoup et a plusieurs maîtres, entre autres un de danse et un de basse. Il est assez raisonnable, mais son caractère me paraît toujours fort léger, ce qui rend les dangers du monde bien plus graves pour lui. Nous l'en tenons encore éloigné cette année, mais je frémis pour le moment où il sera exposé à cette contagion affreuse.»

[138] *J. I.*, 26 mai 1808.

[139] *C.*, I, p. 31-33, du 8 juillet 1808.

[140] *Id.*, p. 28, du 20 avril 1808.

[141] *Id.*, p. 62, du 12 nov. 1808.

[142] *Id.*, p. 31, du 8 juillet 1808; p. 35, du 26 juillet 1808.

[143] Cf. sur ce séjour à Crémieu: *Mémoires inédits*, p. 116-123. Mais il a été daté par Lamartine de 1807 au lieu de 1808.

[144] *C.*, I, p. 84, du 12 décembre 1808, et *id.*, p. 122, lettre sur *Corinne* du 1er juin 1809.

[145] *J. I.*, 12 octobre. «Mercredi, nous avons dîné à Pierreclos. Il y eut une conversation sur J.-J. Rousseau; deux personnes de la société étaient ses zélés partisans, d'autres les réfutaient. Alphonse les écoutait attentivement et je craignais toujours qu'il ne prît les mauvaises impressions de préférence aux bonnes.»

[146] *J. I.*, 9 octobre, en parlant de son fils: «Hélas! comme il est loin du seul bien qui pourrait contenter mon cœur»; et 26 octobre.

[147] *C.*, I, p. 77, du 10 déc. 1808.

[148] *Id.*, *ibid.*

[149] *Id.*, p. 68, du 28 nov. 1808.

[150] *Id.*, p. 80, du 12 déc. 1808.

[151] *J. I.*, du 17 déc. 1808.

[152] *C.*, I, p. 86, du 12 déc. 1808. «J'avais fait les plus beaux plans du monde de plaisirs littéraires. Mon oncle et mon père de concert ont voulu tout détruire.»

[153] *C.*, I, p. 92, du 14 déc.

[154] *Id.*, *ibid.*

[155] *C.*, I, p. 103, du 24 janvier 1809.

[156] *Id.*, p. 100, du 26 février 1809.

[157] *C.*, I, p. 106, du 26 février 1809; et p. 110, du 12 mars 1809.

[158] *J. I.*, 7 juillet 1809.

[159] *C.*, I, p. 139, du 4 août 1809.

[160] *Id.*, p. 127, du 10 juin 1809; et p. 140, du 4 août.

[161] *C.*, I, p. 143. du 4 août 1809.

[162] *Id.*, p. 148-152, du 19 août 1809.

[163] *C.* I, p. 170, du 21 octobre 1809.

[164] *Id.*, p. 175, du 9 nov. 1809.

[165] *Id.*, p. 176.

[166] *C.*, I, p. 181, du 24 nov. 1809, et p. 188, du 10 déc. 1809.

[167] *C.*, I, p. 203, du 1er mars 1810. Sur le séjour à Lyon, cf. *id.*, p. 193-240.

[168] Nous donnons cette date d'après le *Journal intime*, bien qu'elle ne soit pas d'accord avec la *Correspondance*, où figure une lettre datée de «Saint-Point 14 mai»; nous lui donnons la préférence.

[169] «Beaucoup de mes rêves, toutes mes espérances s'évanouissent chaque jour, c'est comme les fantômes qu'on se fait la nuit et que le premier rayon du jour dissipe ou réduit à leur juste valeur. Et toi, mon cher ami, tu es donc aussi comme moi, tu vois que nous avions rêvé, rêvé d'une société à notre guise, rêvé la gloire, rêvé l'amour, rêvé des femmes comme il devrait y en avoir, rêvé des hommes comme il n'y en aura jamais....» (*C.*, I, p. 243.) Cette lettre, datée de Milly, 14 mai 1810, est mal classée: en effet, nous savons par le *Journal intime* que le 14 mai Lamartine était encore à Lyon; mais comme il écrit à Virieu dans le courant de cette lettre: «Je vais partir dans une quinzaine de jours passer quelques semaines à Dijon», et qu'il y arriva le 2 juillet, on peut en conclure qu'elle est du 14 juin.

[170] *C.*, I, p. 256, du 26 juillet 1810

[171] *Id.*, p. 276, du 30 sept. 1810.

[172] *Id.*, p. 264, du 30 août 1810.

[173] *J. I.*, 8 oct. 1810.

[174] *C.*, I, p. 248.

[175] Les causes de ce «mal du siècle» sont surtout littéraires; écartés pour la plupart de la guerre—seul mode d'activité qu'on connût alors,—ces jeunes gens se réfugièrent avec délices dans le monde des idées, ils lurent trop. Cf. *Génie du Christianisme*, chapitre du Vague des passions, et Ballanche, où le cas est prévu avec une parfaite netteté, lorsqu'il dit: «Mon fils, vous portez dans votre sein une secrète inquiétude qui vous dévore. Les livres seuls vous ont tout appris. Les plus hautes conceptions des sages, qui pour y parvenir ont eu besoin de vivre de longs jours, sont devenues le lait des enfants.» (*Le Vieillard et le jeune homme.*) Cf. également une lettre de Lamartine après sa première lecture de *Corinne* (*C.*, I, p. 117, du 1er juin 1809).

[176] *C.*, II, p. 97; du 28 juin 1816.

[177] *Id.*, p. 337, du 25 avril 1819.

[178] Toute l'année 1819 fut occupée par des projets de tragédies et de poèmes épiques: *Saül*, *Clovis*, *Jepté*, *Sapho*, etc.; enfin sa maladie et son mariage accrurent encore l'indifférence qui accompagna la publication des *Méditations*, en sorte que l'édition fut très peu soignée; des vers furent tronqués et d'autres omis.

[179] *C.*, II, p. 358, du 27 mai 1819.

[180] Cf., sur les influences littéraires subies par Lamartine, l'excellent ouvrage de M. Zyromski, *Lamartine, poète lyrique*.

[181] Souligné par Lamartine. *C.*, I, p. 177, du 9 nov. 1809.

[182] *C.*, I, p. 260, du 10 août 1810.

[183] *Id.*, p. 148, du 19 août 1809.

[184] *Id.*, p. 253, du 26 juillet 1810.

[185] *Id.*, p. 260, du 10 août 1810.

[186] *C.*, I, p. 301, du 21 mai 1811.

[187] Lamartine, qui se connaissait parfaitement, et souffrait de sa mobilité de sentiments, écrivait un jour à Virieu: «Nous sommes vraiment de singuliers instruments, montés aujourd'hui sur un ton, demain sur un autre; et moi surtout, qui change d'idées et de goût selon le vent qu'il fait ou le plus ou moins d'élasticité de l'air». (*C.*, II, p. 16, du 28 mars 1813.)

[188] Les *Mémoires inédits* nous apprennent qu'un certain M. F. C., domicilié à Saint-Clément-lès-Mâcon, aurait joué un rôle assez étrange dans l'aventure, soit qu'il favorisât les entrevues des jeunes gens chez lui, soit qu'il se proposât comme ambassadeur. Les souvenirs de Lamartine sont-ils en défaut sur ce point? Il n'y avait en effet, en 1811, aucun M. F. C., propriétaire à Saint-Clément.

[189] *C.*, I, p. 289-90, du 1er février 1811.

[190] Sur Lamartine à l'Académie de Mâcon, cf. Reyssié (*op. cit.*), qui a publié les procès-verbaux de sa réception, et le *Compte rendu* des travaux de cette société pour 1811, où l'on trouve une analyse de son discours; il avait pris pour sujet: De l'étude des langues étrangères.

[191] *C.*, I, p. 291, du 24 mars 1811.

[192] *Id.*, *ibid.*

[193] *C.*, I, p. 291, du 24 mars 1811.

[194] *Id.*, p. 296, du 2 avril.

[195] *Id.*, p. 296-97, du 2 avril 1811.

[196] *C.*, I, p. 296-97, du 2 avril 1811.

[197] *C.*, I, p. 299, du 20 mai.

[198] *C.*, I, p. 310, du 10 juin 1811.

[199] *C.*, I, p. 323-24, du 13 oct. 1811.

[200] *Id.*, p. 306, du 30 mai 1811 où l'on trouve: «...Une occasion charmante et unique s'est présentée: ils l'ont saisie et, tout malheureux que je me trouve de quitter pour sept ou huit mois, tout ce que j'aime, j'en profite. La fortune ne sourit pas deux fois dans la vie, et l'occasion n'a qu'un cheveu». Toute la lettre est d'ailleurs incroyable de contrastes et quelque peu incohérente.

[201] *C.*, I, p. 306, du 30 mai 1811.

[202] *Id.*, *ibid.*

[203] Cf. *Correspondant*, *op. cit.*

[204] *C.*, II, p. 15, du 28 mars 1813.

[205] *C.*, I, p. 316, du 8 sept. 1811.

[206] *Id.*, p. 318, *id.*

[207] *Id.*, p. 314, s. d.

[208] *C.*, I, p. 316-319, du 8 sept.

[209] *Id.*, *ibid.*

[210] *Carnet de voyage.*

[211] Lettre publiée par M. Doumic, dans le *Correspondant* (*op. cit.*).

[212] *C.*, I, p. 330, du 18 nov. 1811. C'est d'ailleurs un phénomène fréquent dans la *Correspondance*: Lamartine ne se montrait pas sous le même jour à Virieu qu'à Guichard; mais il était, croyons-nous, plus sincère avec Virieu.

[213] *Carnet de voyage. C.*, I, p. 344, du 8 déc. 1811.

[214] Cf. R. Doumic, *Lettres d'Elvire à Lamartine* (1 vol., 1905).

[215] *C.*, I, p. 342, du 15 déc. 1811.

[216] *C.*, I, p. 343-46, du 28 déc. 1811.

[217] *C.*, I, p. 355, du 22 janvier 1812.

[218] *J. I.*, table des matières.

[219] *J. I.*, 16 juin 1812.

[220] *Id.*, 25 juin, et archives communales de Milly. Il demeura maire jusqu'en 1815, mais s'occupa rarement des affaires du village, sauf au moment de l'invasion de 1814 où il dut fournir les réquisitions de l'armée autrichienne.

[221] *Id.*, 27 mai 1812.

[222] *C.*, I, p. 364, du 20 août 1812.

[223] *C.*, I, p. 364, du 20 août 1812.

[224] *Id.*, *ibid.*

[225] *Id.*, p. 371, du 17 nov. 1812.

Milton Keynes UK
Ingram Content Group UK Ltd.
UKHW010708240424
441619UK00004B/355